高校生 就職面接の受け方答え方

'26年版

JN007838

成美堂出版

就職面接の スタートライン

　本書は、就職試験を受ける高校生のための面接対策本です。本書の流れとポイントをまとめた、このコーナーをスタートラインにして、自分の知りたいこと、気になることからどんどん調べていきましょう。

STEP 1　　まずは、就職活動の基本を理解しよう

◆ 最新の就職動向を知る

　就職という道を選んだのなら、まずは自分と同じ高校生の就職動向がどのようになっているのかを把握しておきたいところ。高校生を対象とした求人数・求職者数には、社会情勢の影響により変動がみられます。

　また、新卒で入社した高校生の離職率が高いというデータも……。自分の適性に合った仕事・企業選びが大切です。　　　　　　➡詳しくはP6へ！

◆ 就職試験の内容を知る

　就職試験は大きく分けて、学科試験、面接試験、適性検査の3つに分類されます。3つの形式のなかでも、企業によってさらに選考方法は異なってきます。求人票を参考に試験範囲を調べ、それぞれ対策を練っていく必要があります。　　　　　　　　　　　　　　　　　➡詳しくはP7へ！

◆ 就職活動の流れを知る

　面接を含めた就職試験は、就職活動全体の流れのなかでみれば、最後のチェックポイントともいえるもの。試験日までには、進路の決定、職業適性検査の受検、学科試験の練習、企業選びなど、たくさんのプロセスを経ていくことになります。自分の将来を決めることになるので、どれも決しておろそかにはできません。

　どの時点でどのような活動をしておけばよいのか、参考例をもとに、自分なりにスケジュールを立ててみましょう。また、公務員試験をめざす人

は、国家公務員か地方公務員かによって日程が異なってくるので、自分から積極的に調べる姿勢をもちましょう。

⇒詳しくはP8から！

◆ 時事問題を解いてみる

就職活動の基本が理解できたら、面接対策も兼ねて、時事問題にチャレンジしてみましょう。

⇒詳しくはP10から！

STEP 2　　面接試験の概要を把握しよう

◆ 面接の形式を知る

面接の形式は企業によって異なり、おもに、個人面接、集団面接、集団討論のいずれかの形式で行われます。また、個人面接では、面接官が1人の場合と、複数の場合があります。面接官の質問の仕方、チェックポイントはそれぞれ違ってくるので、形式ごとの特徴をとらえておきましょう。

⇒詳しくはP16から！

◆ 評価のポイントを知る

当たり前のことですが、面接は、初対面の受験生と面接官がコミュニケーションを図るものです。受け答えの内容だけでなく、身だしなみ、表情、態度、話し方や聞き方といったすべてが見られていると思いましょう。

そして、面接官がどのような評価基準で受験生を判断しているのか、評定表を参考にしながら考えてみましょう。　　⇒詳しくはP22から！

◆ 自分を知る

自分の性格や能力を分析することは、面接試験だけでなく、どんな仕事や職業に適性があるのかを調べる基準にもなります。ふだんの行動から、興味や関心のある分野を探り出し、チャート図にまとめてみましょう。

⇒詳しくはP28から！

◆ 職業を知る

　世の中には、たくさんの職業があります。そのなかから、自分がやりたい仕事、働きたい企業をしぼり込んでいく必要があります。職業の種類＝職種と、事業の種類＝業種を知り、自己分析の結果と照らし合わせながら、自分の将来像を考えてみましょう。　➡詳しくはP34から！

STEP 3　　面接試験の注意点を知ろう

◆ 面接会場での心得を知る

　面接試験は、面接会場に一歩入ったときからはじまっている、という意識をもちましょう。控え室での過ごし方、面接室への入退室の仕方は、おさえておくべき基本中の基本です。　➡詳しくはP46から！

◆ マナーをきっちり覚える

　面接官に好印象をもたらすためには、おじぎの仕方や、イスに座っているときの姿勢にも注意を払うようにします。マナーを意識しすぎて、ガチガチになってしまうことはありませんが、話し方や聞き方にもポイントがあることを、しっかり理解しておきましょう。　➡詳しくはP50から！

◆ 言葉づかいの総点検をする

　言葉づかいでまず注意したいのは、敬語の使い分け。とくに、尊敬語と謙譲語の違いを理解することがポイントになります。そして、ついつい出てしまう"若者言葉"を使わないように心がけることが大切です。

➡詳しくはP60から！

◆ 身だしなみを整える

　マナーや言葉づかいがしっかりしていても、身だしなみの乱れで評価がマイナスになってしまうこともあります。頭髪、服装、足もとの3点を中心に、試験直前までチェックをおこたらないようにしましょう。

➡詳しくはP68から！

STEP 4　質問に対する受け答えの仕方を考えよう

　面接の基本が理解できたら、試験で実際に問われることの多い質問について、その受け答えの仕方を考えていきましょう。

　面接官の質問は、「導入の質問」、「定番の質問」、「個人に関する質問」、「学校生活に関する質問」、「職場または働くことに関する質問」、「交友関係に関する質問」、「一般常識・時事に関する質問」といったジャンルに分類されます。

　〇　△　✖ の判定が付いた回答例を読み進めながら、どのような受け答え方をすればプラスの評価を得ることができるのか、コツをつかんでいきましょう。
➡詳しくはP75から！

STEP 5　自分自身のことを言葉にまとめよう

　面接試験に向けて、自分自身のことをあらためて振り返ってみましょう。長所や短所といった自分の特徴やプロフィールは、実際に書き出してみることで、"自分像"がよりくっきりとしてきます。

　巻末の「書き込み式チェックシート」を活用して、高校3年間の記録、おもな質問への答え方なども、どんどん書き込んでいきましょう。
➡詳しくはP165から！

最新の就職動向を知ろう

求人数・求職者数に増減あり

　高校生の就職動向については、厚生労働省が「高校・中学新卒者のハローワーク求人に係る求人・求職・就職内定状況」調査を行っています。

　高校新卒者を対象とした求人数・求職者数には、社会情勢を踏まえてそれぞれ変動がみられます。

　令和6年3月卒の高校生のデータ（同年3月末時点の数値）を見ると、求人数は約48万2000人（前年比8.7％増）、求職者数は約12万1000人（同4.7％減）、そのうち内定者数は約12万人（同4.8％減）、就職内定率は99.2％（同0.1ポイント下降）となっています。

不本意な離職をしないために

　高校新卒者の離職率の高さが問題視されています。厚生労働省の調査によると、新卒で入社した高校生の3〜4割が、入社後3年目以内に離職しているといわれています。離職の理由は、仕事が自分に合わなかったり、労働条件が厳しかったりというもの。こうした調査結果からは、自分の適性と、仕事や企業の分析をしっかり行うことの大切さが、伝わってきます。

■高校新卒者の求人数・求職者数の推移（各年3月末時点）

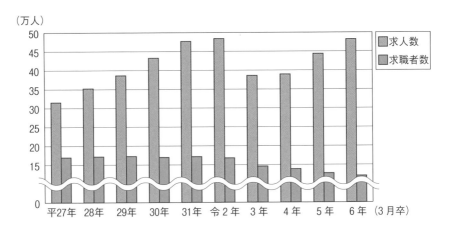

就職試験の内容を知ろう

就職試験には、大きく分けて、学科試験、面接試験、適性検査の３つがあります。どの試験を実施するかは企業によって異なりますが、求人票にある選考方法の欄が参考になります。とくに学科試験ではどの教科・科目が範囲に含まれているのかを、きちんとチェックして対策を練りましょう。

●学科試験

いわゆる筆記試験のことで、５教科（国語、数学、英語、社会、理科）の基本的な問題が中心になります。企業によっては、教科・科目を指定せずに「一般常識」として一括りにしていたり、時事問題が含まれていたりというケースもあります。また、作文試験が実施されることもあります。５教科については、おおよそ次のような分野の復習をしておきましょう。

- ・国語：漢字の読み書き、ことわざ・慣用句・故事成語、四字熟語、同意語・反意語、同音異義語、詩歌、文学史、長文読解など
- ・数学：数と式の計算、方程式と不等式、関数とグラフ、図形、三角関数、数列など
- ・英語：熟語、同意語・反意語、ことわざ、発音・アクセント、文法、英会話、英文和訳、和文英訳など
- ・社会：日本史、世界史、地理、政治・経済、公共（2022年度より現代社会を廃止して新設）、倫理など
- ・理科：生物、化学、物理、地学など

●面接試験

企業によって、個人面接、集団面接、集団討論など、面接の形式は異なります。詳しくはP16～21を参考にしてください。

●適性検査

適性検査でもっとも一般的なのは、SPIです。SPIは、仕事への適応性や意欲などを見る「性格検査」と、言語分野と非言語分野から受検者の基礎的能力を測る「能力検査」に分かれます。難易度は高くありませんが、問題数が多く、出題の仕方も特殊なパターンが多いので、専門の問題集を使って早めに慣れておくことが大切です。

就職活動の流れを知ろう

　就職活動は、自分の将来像を確立していく、大切なプロセスです。ただ試験を受けて内定を取ればいい、というものではありません。自分の適性を見極めたうえで、これだという職業と就職先を決める必要があります。

　次に挙げていくのは、就職活動の流れの一つの例ですが、いつ、どの時点で、何をやっておくべきなのか、その目安として活用していきましょう。

1年生から2年生にかけて

・進路ガイダンスへの参加や、進路適性検査の受検などを通じて、高校卒業後の進路（就職するか、進学するか）について、少しずつ考えていきます。
・まだ就職するかどうかを決めていない人も、夏休みなどを利用して、企業のインターンシップ（就業体験）などに参加してみましょう。働くことの意味や、仕事のイメージなどがより具体的になります。
・2年生が終了するまでには、自分のなかで進路を決めておきましょう。

3年生になってから

●4月〜6月

・学校では、就職と進学の進路別ガイダンスが開かれ、保護者を交えた三者面談で進路の確認が行われます。
・希望する職種や業種を調べ、自分に合った職業を本格的に探していきます。職業適性検査を受けて、自分がどんな職業に向いているのかを調べてみるのもよいでしょう。
・問題集などで、学科試験の練習に取り組みはじめます。得意な分野も不得意な分野も、復習を兼ねてしっかりおさえておきましょう。
・希望する職業を固めておきたい時期です。学校では、就職模擬試験や面接の練習も活発に行われるようになります。

●7月〜9月

・7月1日から、各地域のハローワークの確認を経た企業の求人票が、学校に届きはじめます。先生や家族と相談しながら、受験する企業を

しぼり込んでいきます。

・夏休みに入ったら、気になる企業の職場見学に参加してみましょう。

・8月下旬までには、受験する企業を決定しておきましょう。希望者が多い場合は、校内選考が行われる場合もあります。

・履歴書を完成させて、応募書類を先生と確認します。9月初旬からは、学校から企業への応募書類の提出が解禁（沖縄県は8月末から）。9月中旬から、いよいよ就職試験がスタートします。

●10月以降

・内定を得られた場合、ここからは就職に向けた準備を整える期間になります。ビジネスマナーを学ぶなど有意義にすごしましょう。

・内定が得られなかった場合、新たに募集を行う企業を探していくことになります。10月以降も自治体やハローワークなどの主催する合同企業説明会が実施されるので、気持ちを新たに就職活動を続けていきましょう。

公務員試験のスケジュールもみておこう

　公務員試験は、一般企業の就職試験とスケジュールが異なります。また、公務員をめざす人は自分で受験票を請求し、手続きを行うことになります。

　おおよそのスケジュールは、次のとおりです。ただし、これはあくまでめやすです。年度によって、また自治体によって職種や試験の種類、試験内容や試験時期、手続き方法は違ってくるので、早めに問い合わせて、じっくりと対策を立てておきましょう。

	国家公務員 （一般職）	地方公務員 （初級）
受付期間	6月中旬～下旬	7月上旬～9月上旬
第1次試験	9月上旬	9月中旬～10月下旬
第1次合格発表	10月上旬	10月上旬～下旬
第2次試験	10月上旬～中旬	10月中旬～11月中旬
最終合格発表	11月中旬	11月上旬～12月上旬
各官庁／自治体面接	11月中旬～	11月上旬～
採用内定	12月～3月	12月～3月

＊最終合格発表後、採用候補者名簿に1年間記載される

ポイントチェック　時事問題

　就職試験では、国語、数学、英語など、ふだん学校で学んでいる科目だけでなく、時事の知識も問われてきます。面接で、「最近、気になっているニュースは？」と質問されることも少なくありません。おもな分野ごとに、一問一答で自分の習熟度を測ってみましょう。

問題

◆政治・経済
　①社会保障などの行政手続きを簡素化することを目的に、全国民に個人番号を割り振る制度を何というか？
　②2024年から発行の新紙幣は、１万円札が渋沢栄一、千円札が北里柴三郎だが、５千円札は誰の肖像か？
　③2024年秋の自由民主党総裁選の結果、発足したのは何内閣か？
　④2014年１月に始まり、2024年から「つみたて投資枠」「成長投資枠」で新制度スタートの、個人投資家のための税制優遇制度は何か？
　⑤日本政府は、脱炭素社会の実現に向けて、温室効果ガスの排出を何年までに実質ゼロにすることを目標にしているか？

◆国際
　①2022年５月に即位した、英国ウィンザー朝第５代国王は誰か？
　②2022年からウクライナとロシアの間で戦争状態が続いているが、その間ずっとウクライナの大統領を務めるのは誰か？
　③2023年から戦闘が続く中東で、パレスチナ自治区ガザを実効支配するイスラム組織の名称は？
　④中国が推進する、沿線国のインフラ整備や貿易の活性化を図る現代版シルクロード経済圏構想を漢字４文字で何というか？
　⑤2024年秋のアメリカ大統領選で、民主党のカマラ・ハリス氏と争ったドナルド・トランプ氏は何党か？
　⑥金正恩総書記が統治する国は？

◆社会

①わが国では少子化が進み、その指標となる数値は2023年に1.20と過去最低を更新した。この数値の名称は何か？

②子ども・若者育成支援推進法に「家族の介護その他の日常生活上の世話を過度に行っていると認められる子ども・若者」と明記されたのは？

③原子力発電所の再稼働をめぐり、2024年に原子力規制委員会が初めて「不合格」との判断をしたのはどこの原発か？

④2015年の国連サミットで採択され、2016年から2030年までを対象期間としている「持続可能な開発目標」を略称で何というか？

◆文化・スポーツ

①「アジアのノーベル賞」といわれるマグサイサイ賞を2024年に受賞した、日本のアニメ映画監督は誰か？

②2024年のパリオリンピックで、日本人女子初の陸上トラック・フィールド種目金メダリストとなった、北口榛花選手の競技種目は何か？

③2024年のパリパラリンピックの車いすテニスで、シングルス・ダブルス両方の金メダルを獲得した選手は誰か？

④2022年に10代で将棋のタイトル5冠を制し、2023年には全8冠制覇を達成した棋士は誰か？

解答

◆**政治・経済**
①マイナンバー（社会保障・税番号）制度　②津田梅子
③石破内閣（いしば）　④NISA（ニーサ）　⑤2050年

◆**国際**
①チャールズ3世　②ウォロディミル・ゼレンスキー
③ハマス　④一帯一路（いったいいちろ）　⑤共和党　⑥北朝鮮

◆**社会**
①合計特殊出生率　②ヤングケアラー
③敦賀原発（2号機）　④ＳＤＧｓ（エスディージーズ）

◆**文化・スポーツ**
①宮﨑駿（みやざきはやお）　②やり投　③上地結衣（かみじゆい）　④藤井聡太（ふじいそうた）

もくじ

第2章　面接会場シミュレーション ………… 45

❶ 面接会場での心得 …………………………………… 46

❷ マナーをきっちり覚える ………………………… 50

❸ 言葉づかいの総点検 ……………………………… 60

第3章　面接の応答シミュレーション ……… 75

※本書は原則として、2024年９月15日現在の情報に基づき編集しています。

第 **1** 章

面接準備
シミュレーション

まずは面接試験の準備として、面接の形式と、
評価のポイントを理解しましょう。そのうえ
で自己分析を行い、自分がどんな職業に向い
ているのかを考えていきましょう。

面接準備シミュレーション

① 面接の形式

★ -- ★

面接試験には、個人面接、集団面接、集団討論の 3 つの形式があり、それぞれ人数や時間、ねらい、特徴などが異なります。形式ごとのポイントをつかんで、的確な受け答えをしていく必要があります。

個人面接〈面接官が 1 人の場合〉

　個人面接は、面接の形式のなかでもっとも一般的な形式で、受験者を 1 人ずつ面接するものです。ただし、面接官が 1 人の場合と複数の場合があるので、それぞれの特徴とポイントをしっかり理解しておきましょう。

　まずは、面接官が 1 人の場合から見てみましょう。

形式・特徴は？

所要時間：10～20分程度

特徴：1 対 1 でじっくりと話せることもあり、比較的落ち着いた雰囲気のなかで面接は進んでいきます。そのぶん、受験者のふだんの態度や表情が、表に出やすくなります。

どこに注意する？

　リラックスした気持ちで面接に臨めますが、うっかりすると、ついつい言葉づかいがくだけてしまったり、なれなれしい態度になってしまったりすることがあります。面接試験であることを忘れず、集中力を保ち、最後まで緊張感を持続させられるように心がけましょう。

個人面接〈面接官が複数の場合〉

形式・特徴は？

所要時間：10～20分程度

面接官の人数：3〜4人程度

特徴：面接官のなかで役割分担がなされていることがあり、こうした場合は、肯定的な意見を言う人、批判的な意見を言う人など、タイプがそれぞれ異なってきます。1対1のときよりもさまざまな角度から質問され、受け答えや態度もより細かく観察されます。

どこに注意する？

　答えるときには、質問をした面接官のほうへ顔を向けます。受け答えをしている間も、ほかの面接官から見られていることを常に意識しましょう。どの面接官の質問に対しても、どんな内容であっても、しっかりと答えるようにしていきます。

ここに注目　チェックしておきたい3つのポイント

　面接試験の基本になるのは、確かな理解力とコミュニケーション能力。質問に対する受け答えの内容以前に、どのような姿勢で臨んでいくべきなのかを、まずはチェックしておきましょう。

● 面接官には敬意と誠意をもって接すること
● 質問の意味をきちんと理解して、わかりやすく素直に答えること
● 極端に個人的な話や難しい言葉は避けること

集団面接では発言が比較される

　集団面接は、複数の受験者と数人の面接官で行われます。個人面接よりも時間が長くなるため、緊張感を持続させてほかの受験者と面接官の話にもじっくり耳を傾ける注意力が必要です。この形式は、受験者が多い企業でよく実施されます。

形式・特徴は？

所要時間：30〜60分程度
面接官の人数：受験者3〜4人に対して、面接官3〜4人程度
特徴：全員が同じ質問に順番に答える方法と、1人ずつ質問内容が変わる方法、面接官がテーマを決め、各自が意見を述べるという集団討論に近い方法があります。

どこに注意する？

　個人面接と比べると、受験者1人ひとりの緊張感は緩和されますが、受験者同士が比較されるという側面もあります。

　また、同じ質問に順番に答える場合、自分が考えていた内容をほかの受験者が先に答えてしまうこともあります。表現を変えたり、各人の発言をまとめる内容にしたりなど、幅広い答え方で対応できなくてはなりません。

集団討論は共同作業と考える

この面接方法は、面接官から与えられたテーマについて複数の受験者がディスカッションをする形式です。高校生の就職試験で実施されることはまれですが、二次面接で行われる例もあります。

形式・特徴は？

所要時間：40〜60分程度

面接官の人数：受験者4〜8人に対して、面接官3〜4人程度

特徴：面接官の出すテーマに対して、受験者がそれぞれ意見をまとめるための時間が、10分程度与えられます。それから自由討論に入ります。集団のなかでリーダーシップをとるタイプ、補佐的な役割をするタイプ、意見のまとめ役をするタイプなど、それぞれの個性が見られる形式です。

どこに注意する？

テーマに対する各自の意見よりも、討論全体をスムーズに進行させていくためのバランス感覚が大切になります。無理にリーダーになろうとしたり、自分の主張を押し出しすぎたりせず、自分に合った役割を見つけて、そのなかで個性をアピールしましょう。

面接試験の内容について

　質問される基本的な内容は、どの企業でもほぼ同じです。自己紹介、志望動機、仕事に対する心構え、日常生活や学校生活のほかに、一般常識や時事についての質問も出ます。**よく出る質問に対しては、どう答えるかを事前に考えて、言葉にしてまとめておきましょう。**実際に声に出す、友人同士で質問し合うなどして練習するのも効果的な方法です。

　また、志望する職種に、専門的知識や技能の習得が求められる場合は、面接で具体的なことを尋ねられることもあります。とくに、筆記試験が実施されず、面接試験だけが行われる企業では、口頭で専門知識が問われることもあるようです。

面接試験の質問方法

　面接官の質問方法には、いくつかの種類があります。どのような内容になっているのかを、簡単に説明していきましょう。

標準的な質問方法

　質問内容が事前に決まっている方法です。受け答えに対する評価も、「このように答えたら協調性がA」と形式化されています。「はい」「いいえ」で答えられる質問が多いため、受験者はマニュアルが役に立ち、面接官は客観的に評価できます。ただし、受験者ごとの評価にそれほど差が出ないため、性格や人物の深い部分までは、なかなか理解されない面があります。

🔍 質問例

- ・性格や考え方の違う人とも友人になれますか？ ➡ 協調性
- ・新聞やニュースは、毎日見ますか？ ➡ 教養や社会性
- ・リーダーシップはあるほうですか？ ➡ 積極性

面接官が自由に質問内容を変える方法

　この面接法では、面接官が受験者に合わせて質問内容や方法を変え、受験者の人間性や個性、判断力、社会性などを全般にわたり評価します。よ

り掘り下げた人物評価をしてもらえる一方で、面接官の好みや感情が入り込むため、受験者と面接官の相性によっても評価が分かれがちです。

🔍 **質問例**

・入社後は、どんな仕事がしたいですか？　➡　仕事への意欲
・高校生活で印象に残っている出来事は何ですか？　➡　個性

圧迫面接

面接官が受験者に対して、わざと圧迫感を与えるような質問を投げかけて、自制心や忍耐力、問題に対処する能力などを見る面接方法です。緊張している受験者に意図的に意地悪な質問をしたり、平常心を乱すような発言をしたりして、本心を見ようとします。

🔍 **質問例**

・あなたは、この仕事に向いていないのでは？　➡　動揺させる
・話の内容が理解できません。　➡　緊張を与える

受験者の話に対して質問する方法

受験者に自由に話をさせ、それに基づいて面接官が質問をしていきます。受験者は人柄や関心事、個性をアピールしやすい面接方法です。しかし、話題や質問の内容がそれぞれに異なるため、面接官側は相対的評価が難しくなります。

🔍 **質問例**

・最近、関心のあることを話してください。　➡　個性や論理性

覚えておこう　面接の段階によって担当官も変わる

就職試験の面接は、一次・二次・三次と複数回行われる場合があります。そうした企業では、面接の段階ごとに面接官が変わる可能性もあります。一例を紹介しておきましょう。

①一次面接…人事・採用の担当者が面接することが多い
②二次面接…部長や課長などの役職者が面接することが多い
③三次面接…取締役や社長などの役員が面接することが多い

面接準備シミュレーション

② 面接官の評価のポイント

★ 面接官が、受験者の身だしなみや態度、受け答えの内容を評価する際には、必ず基準になるポイントがいくつかあります。どこをどのように見られて判断されているのかを、把握しておきましょう。 ★

外見や態度で第一印象が決まる

　面接試験では、受け答えの内容と同じくらい服装や態度も重視されます。面接官は、**服装や態度を、ふだんの生活態度や就職への意欲の表れと受け止める**からです。

　とくに第一印象は、受験者が面接室に入ってからの数秒間で決まります。面接官に好感をもたれるためには何が大切なのか、考えてみましょう。

服装と身だしなみ

　清潔感があり、整った服装と身だしなみが基本です。

　制服のある学校なら制服を着用し、**校則で定められているとおりに身につけます**。制服がない場合は、紺や濃紺で無地のスーツを選びます。

　服にしわがよっていないか、えりや袖口が汚れていないかといった、**細かい点にも気を配りましょう**。また、髪の毛はきちんと整え、靴もきれいに磨いておくこと。パーマや脱色、アクセサリーをしたりなど、面接の場にふさわしくないおしゃれは避けるようにします。マスクをつける場合は、白など控えめの色で無地のものを。

表情と姿勢

　背筋がぴしっと伸びた姿勢や明るい表情は、面接官によい印象をもたらします。緊張して顔がこわばってしまったりすることがあっても、はつらつとした健康的な雰囲気が出せるように心がけましょう。

態度や動作

　面接官は、**入室・退室時やイスに座るときの動作、話を聞く態度**なども見ています。かしこまりすぎることはありませんが、礼儀正しく振る舞うことを心がけましょう。

　そわそわしたり、ボタンを手でいじったりといった落ち着きのない態度は、意識してできるかぎり抑えるように。よそ見をせず、面接官に意識を集中して、視線は面接官の目かあごの辺りに置きます。

話し方と聞き方

　面接官に質問されているときは、**静かにうなずいたり、長い質問の場合は要所要所であいづちを打ったりする**と、面接官に「話をしっかり聞いている」と感じてもらえます。質問の意味がわからなかったり、聞き取れなかったりした場合は、相手の話をさえぎらず、最後まで聞いてから確認するようにします。

　答えるときは、**はきはきとわかりやすい言葉で（マスクをつけたままのときはよりはっきりと）明確に伝えるのが基本**です。まず、最初に「はい」「いいえ」と言ってから話を始めると、そのあとがスムーズに進められます。ふだんの会話よりも少しゆっくりとしたスピードで、相手の顔を見てはっきりと発音するようにしましょう。

　また、語尾を伸ばしたり、話し始める前に「あのー」という言葉を発したりと、ふだんの話し方のクセが出ないように気をつけます。

さまざまな資質が求められる

　調査書や筆記試験の結果だけでは、働くために必要な協調性や積極性などを判断できません。そのため、面接では、さまざまな質問を通して受験者がどのような資質をもっているかが判断されます。

　面接官は、受験者の受け答えから「自社にとって必要な人材かどうか」を判定します。業種や職種によって若干の違いはありますが、具体的には次のような資質が社会人として求められます。

理解力と表現力

　面接官の質問内容を素早く理解して的確に答えられるか、自分の意見を筋道をたててわかりやすく説明できるかが問われます。仕事をしていくうえで、重要な能力です。

常識

　働いていくうえで一般的な社会常識は、不可欠なものです。偏った見方や奇抜な行動は、周囲の人を困惑させます。常識的な考え方や行動ができるのと同時に、政治や経済、社会情勢など、世の中の仕組みについて、一般的な知識を身につけておくことが大切です。

協調性

　職場は、他人と協力して仕事をしていく場所です。他人の意見を素直に聞いて、自分の意見を上手に主張し、話をまとめていく能力は、スムーズに仕事を進めるために必要な要素といえます。自分の意見を無理に押し通したり、逆に他人を頼ってばかりでもいけません。意見が食い違っても感情的になったりせず、平常心を保てるかがチェックされます。

積極性

　企業は、自分から進んで仕事に取り組む人材を求めています。常に新しいことにチャレンジする向上心や意欲は、高く評価されます。時にはじっくりと考える時間も必要ですが、実行に移す決断力や行動力も社会人にとって大切な要素です。

計画性・堅実性

仕事は、決まった時間のなかで成果を出していくもの。**先のことまで考えて、合理的に進めていく計画性**は、仕事を効率よく行う基本であるとともに、職場で信頼を得て、共同作業を円滑にする要素でもあります。

また、**計画どおりに地道に努力していく誠実さ**や、**最後までやり遂げる責任感**も評価の対象となります。さらに、計画どおりに進まなかったときの臨機応変に対応・処理する能力も、働くうえでは必要です。堅実でありながらも、瞬時に頭を切り替えて推進できる力が求められています。

職業観

就職に対する考え方をしっかりもっているかが確認されます。「**なぜ働くのか**」「**なぜこの仕事をしたいのか**」を、自分の言葉で話せるようにしておきましょう。職場への理解とともに、受験先企業の業務を知っておくことや具体性のある志望動機をきちんと準備しておくことが大切です。

将来の展望

入社後、何をやりたいかという希望や、将来、どの方向に進みたいかなど、将来像についても尋ねられます。目標があると、仕事に対しての取り組み方も、より熱意のあるものと受け止められます。

さらに、**希望を実現させるためには、何を学ぶ必要があるか**も、現実的に考えてみましょう。就職することを最終的な目標とするのではなく、社会人となってからの生活や人生の目標を明確にしておくことが重要です。

ここに注目　企業はバイタリティーのある人を求めている

就職試験を受ける高校生に対して、企業側は、職業観の未熟さを指摘しています。しかし、それ以前に、就職への覚悟や自覚が足りずに、しっかり自分の意見を述べたり、積極的に夢や熱意を語ったりができない人が多いようです。企業が求めているのは、若さと熱意、そして挨拶などの基本的な礼儀を備えた人。ファイトとバイタリティーをもって、元気よく面接に臨めるようにしましょう。

評定表の例を見てみよう

　面接試験では、各項目ごとに評定表が用意されています。どのような形式になっているのか、その一例を見てみましょう。

【個人面接の評定表例】

受験番号		氏名	
出身校		試験官名	

評定項目	着眼点		評定	
1．理解力 　　表現力	・話に一貫性があるか ・言葉の選び方は適切か ・発音は明瞭か ・主旨が明確で、簡潔か	〔特記事項〕	優　良　可　不可 （　　　　）点	
2．態度 　　動作	・態度は落ち着いているか ・姿勢はよいか ・動作はきびきびとしているか ・礼儀正しい真面目な態度か		優　良　可　不可 （　　　　）点	
3．社会性	・温和で親しみやすいか ・他人の意見を尊重しているか ・自立心があるか ・明るく、健康的か		優　良　可　不可 （　　　　）点	
4．堅実性	・意志がしっかりしているか ・素朴さがあるか ・誠実か ・我慢強いか		優　良　可　不可 （　　　　）点	
5．積極性	・向上心や研究心があるか ・活力があるか ・説得力があり、計画的か ・自ら進んでやる行動力があるか		優　良　可　不可 （　　　　）点	
［総評］			計（　　　　）点	
合否	□ぜひ採用したい　　　□どちらでもよい □できれば採用したい　□採用したくない			

【集団面接の評定表例】

評定項目	1. 表現力	2. 行動力 積極性	3. 協調性	月　日 第　グループ
	わかりやすい言葉で話し、考えを正確に伝えられるか	自分から進んで行動し、積極的に行う意志があるか	他人を理解し、自分を失わずに仲間と協調していけるか	
	評定			総合評定

段階評価

受験番号	表現力	行動力・積極性	協調性	総合評定
段階評価	1 2 3 4 5	1 2 3 4 5	1 2 3 4 5	1 2 3 4 5
	1 表現力がない 2 あまり表現力がない 3 どちらともいえない 4 表現力があるほうだ 5 かなり表現力がある	1 行動的でない 2 あまり行動的でない 3 どちらともいえない 4 行動的なほうだ 5 かなり行動的である	1 協調性がない 2 あまり協調性がない 3 どちらともいえない 4 協調性があるほうだ 5 かなり協調性がある	1 採用したくない 2 採用しないほうがよい 3 どちらともいえない 4 できるだけ採用したい 5 ぜひ採用したい
No.	1 2 3 4 5 記録	1 2 3 4 5 記録	1 2 3 4 5 記録	1 2 3 4 5 記録および意見
No.	1 2 3 4 5 記録	1 2 3 4 5 記録	1 2 3 4 5 記録	1 2 3 4 5 記録および意見

　評定表は、企業によって異なり、採点方法も大まかに2種類あります。一つは、各面接官が採点をした点数を合計し、面接官の人数で割って平均点で表示する方法です。もう一つは、1人の受験者について各面接官が面接と筆記試験の結果を考え合わせて採否を決め、多数決による方法です。

面接準備シミュレーション

❸ 自分を知る

面接でよい評価を得るためには、自分自身の性格や能力、適性などを客観的に把握しておく必要があります。ポイントをおさえた自己分析によって、どんな仕事に向いているのかも見えてきます。

個性を理解して、適性を考える

就職にあたっては、自分の個性をよく理解することが大切です。これは、適した職業を探すためにも、面接試験の際に自分をアピールするためにも、必要となります。

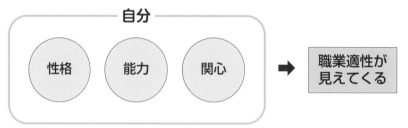

自分史を書いて自分自身を知る

面接試験の準備として最初にしなければならないことは、まず、自分自身についてよく知ることです。面接官は、性格や日常生活のことなど、受験者本人についての質問をします。しっかりと長所をアピールするためには、自分自身についてきちんと把握しておく必要があります。

自分がこうだと考える個性と、まわりの人が見た評価とは、違う場合があります。自分を正確に知るために、過去の経験を振り返って、実際にあった出来事やそれに対する自分の気持ち、とった行動などを書き出してみましょう。その際、家族やまわりの人が言った評価ではなく、自分自身が感じた正直な気持ちを思い出すことが大事です。幼い頃から現在にいたる

までのことを書いた自分史は、客観的に自分を見つめ直し、理解するのに役立ちます。

🔍 振り返ってみたいのは、こんなこと

●小学校に入学するまで

どんな子ども時代をすごしたか、思い出してみる。両親にはどのように育てられたか、兄弟姉妹との印象深い思い出はあるか……。

⬇

●小学校時代

はじめての学校生活で、どんなことを感じたか。友人とのつきあい方、勉強、学校行事のことなどを思い出してみる。

⬇

●中学校時代

クラブ活動や学校外の行事など、さまざまな人とかかわる機会が増えてきた。将来のことも、少しずつ考えはじめていたかも……。

自分自身のことを整理してみよう

これまでの自分を振り返ったら、今の自分について、実際に書き込みをしながら整理してみましょう。

最初は、箇条書きで思いつくままに書き出す形で構いません。書き出す作業をすることで、答えのなかに自分の傾向が見えてきて、それをつなげていくと、自分がどんな人間なのかも見えてくるでしょう。また、こうした作業は、面接での質問対策にもつながっていきます。

なお、実際に書き出してみるときには、巻末の「書き込み式チェックシート」も活用しましょう。

🔍 考えてみたいのは、こんなこと

・長所と短所
・趣味や特技、もっている資格
・得意な科目と、不得意な科目
・クラブ活動
・健康、体力について
・今、もっとも関心のあること

性格を自己評価してみよう

　自分の性格を知るために、生活態度やふだんの行動を振り返って自己評価してみましょう。

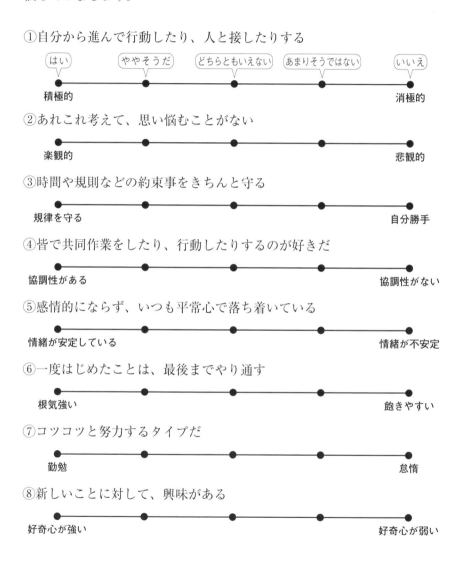

①自分から進んで行動したり、人と接したりする

| はい | ややそうだ | どちらともいえない | あまりそうではない | いいえ |

積極的　　　　　　　　　　　　　　　　　　　　　　　　消極的

②あれこれ考えて、思い悩むことがない

楽観的　　　　　　　　　　　　　　　　　　　　　　　　悲観的

③時間や規則などの約束事をきちんと守る

規律を守る　　　　　　　　　　　　　　　　　　　　　自分勝手

④皆で共同作業をしたり、行動したりするのが好きだ

協調性がある　　　　　　　　　　　　　　　　　　　協調性がない

⑤感情的にならず、いつも平常心で落ち着いている

情緒が安定している　　　　　　　　　　　　　　　　情緒が不安定

⑥一度はじめたことは、最後までやり通す

根気強い　　　　　　　　　　　　　　　　　　　　　飽きやすい

⑦コツコツと努力するタイプだ

勤勉　　　　　　　　　　　　　　　　　　　　　　　　　怠惰

⑧新しいことに対して、興味がある

好奇心が強い　　　　　　　　　　　　　　　　　　　好奇心が弱い

能力を自己評価してみよう

　能力について自己評価し、自分の得意なことと、不得意なことを判定してみましょう。それぞれ5段階で評価し、得意なら5、不得意なら1をつけ、その点を線でつないで自分がどんなタイプかを確認します。

①事実を論理的に考え、判断する
②文章を読んで理解し、言葉を上手に使って文章にする
③文字や数字を素早く比較・分類し、伝票などの整理や照合をする
④計算を正確に素早く行うとともに、応用問題を推論し、解く
⑤設計図を読み取ったり、平面図から立体図を想像したりする
⑥調査や研究をして、科学的に考える
⑦目や手、指を一緒に動かす動作を正しくコントロールする
⑧指で小さい物を上手に扱う
⑨物を取り上げて移動する動作をスピーディーに行う

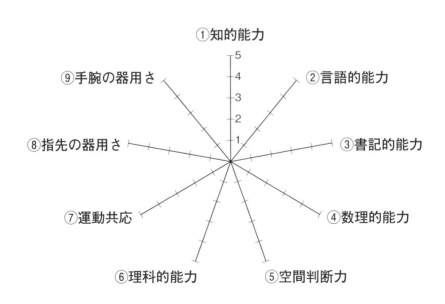

興味や関心がある分野を探ろう

　自分がどのような方面に関心が高いかを知ることも、職業選択には重要です。それは、強い関心をもって臨めば、早く技能を習得できるからです。日常の行動の分析と、やりたいかどうかを判定の基準にします。

①絵画や音楽、演劇などの芸術的な活動

興味がある	ややある	どちらともいえない	あまりない	ない
●	●	●	●	●

②商談などの交渉や商品の販売

● ──── ● ──── ● ──── ● ──── ●

③人の手助けやサポート

● ──── ● ──── ● ──── ● ──── ●

④読書や文章を書くこと

● ──── ● ──── ● ──── ● ──── ●

⑤農業や林業、水産業などの仕事

● ──── ● ──── ● ──── ● ──── ●

⑥自然科学についての調査・研究など

● ──── ● ──── ● ──── ● ──── ●

⑦機械の操作や道具を使って物を作ること

● ──── ● ──── ● ──── ● ──── ●

⑧情報収集や分析

● ──── ● ──── ● ──── ● ──── ●

職業適性を考えてみよう

職業や仕事の内容によって、必要とされる知識や技能は異なります。また、一人でコツコツと地道な作業を繰り返すのが得意な人と、人と接することが得意な人とでは、向いている仕事は違ってきます。

仕事の中身と、自分の性格や能力、関心などにどの程度の適合性があるのか、職業適性を探ることで、自分がどんな職業に向いているのかも見えてきます。次の3つの分類について、自分にあてはまると思う項目に、チェックを入れてみましょう。

事務関係

一般事務や経理事務、オペレーターなどの仕事には、高い事務処理能力が求められます。

チェック！
- □単調な仕事を粘り強く、長時間続けられる。
- □几帳面で、注意深く行動できる。
- □計算が得意で、数学的な応用ができる。

技術関係

各種工場での製造・加工作業、建築や土木工事といった、専門的な技術を求められる仕事では、体や手先を巧みに動かす能力が重視されます。

チェック！
- □機械の操作や組み立て作業に関心がある。
- □手先が器用である。
- □物事を計画的に考え、堅実に処理できる。

対人関係

直接、顧客とかかわる販売やサービス業、営業職などは、社交性やコミュニケーション能力などが求められます。

チェック！
- □好感をもたらす話し方・聞き方ができる。
- □相手の気持ちや考えを察して、機転をきかせられる。
- □論理的に人を説得することができる。

面接準備シミュレーション

④ 職業を知る

職業を決める際には、職種・業種・企業の3つに分けてじっくりと検討し、自分に適したものを選びましょう。面接の場で志望理由をきちんと述べるためにも、このプロセスはとても重要です。

職種・業種・企業、3つの観点で

　就職にあたっては、企業選びをする前に、職種と業種について考えます。**職種とは職業の種類のこと**です。たとえば、営業事務、技術者、電車運転士、販売員などが職種にあたり、その数は3万以上ともいわれるほど、多種多様です。また、**業種とは事業の種類のこと**で、製造業、建設業、情報・通信業、サービス業などに区分されます。重要なのは、職種・業種・企業という3つの観点から、幅広く検討することです。

どんな職種があるのかを知る

　職種を選ぶときは、将来性を見ることが大切です。現代は、事務的な仕事よりも、販売員、医療・福祉関連、インターネットやデジタル技術を活用したサービスなどの求人が増えています。高校卒業後に考えられる職種としては、次のようなものが挙げられます。

事務関連職

　総務・経理・人事・調査・企画などの事務に携わる仕事。パソコンなどOA機器の操作も求められる。
【おもな職種・業務】
一般事務、経理事務、営業事務、商品企画事務、医療事務、オペレーター、受付

技術関連職

　機械や器具を使った原材料の加工、製造、機械の組み立てや修理などに従事する仕事。建設の仕事なども含まれる。

【おもな職種・業務】

金属溶接・溶断作業、化学製品製造、一般機械器具の組み立て・修理、衣服・繊維製品製造、印刷・製本、食品製造、建築・土木工事

輸送・運転関連職

　電車や貨物自動車といった交通機関の運転や、建設機械の運転などを担う。資格や免許の取得が必要な場合もある。

【おもな職種・業務】

電車運転士、車掌、バス運転者、貨物自動車運転者、建設機械運転者、フォークリフト運転者

販売・サービス関連職

　接客・販売、調理、娯楽、清掃、介護など、個人に対するサービスが中心。各種の資格取得が必要となる職種もある。

【おもな職種・業務】

販売員、営業職員、調理人、ホールスタッフ、ホテルの客室係、清掃員、介護職員

保安関連職

　国家の防衛、社会や個人の財産保護、社会秩序の維持などに関する仕事。公務員に含まれる職種が多い。

【おもな職種・業務】

自衛官、警察官、消防官、海上保安官、警備員、レスキュー隊員

業種の産業分類について

業種は、その種類によって、第1次産業、第2次産業、第3次産業に分けることができ、これを産業分類といいます。

〈第1次産業〉 農業、林業、漁業など

〈第2次産業〉 製造業、建設業、鉱業など

〈第3次産業〉 電気・ガス・水道業、不動産業、情報・通信業、卸売・小売業、サービス業、公務員など

安定性や将来性のある業種はどれなのかを十分考慮して、動向を探る必要があります。現在では、第1次産業や第2次産業の就業人口が減少し、第3次産業に従事する人が増加しています。

業種の内容を知る

おもだった業種の具体的な内容をみてみましょう。

鉄鋼

鉄鉱石や原料炭、鉄くずから、鋼板、鋼管などを生産し、販売する。

鉄鉱石の大半は輸入品のため、景気の動向に影響を受けやすいが、国内市場のさまざまなニーズに応えてきた日本の鉄鋼業界の技術力は、世界最高峰といわれている。

化学工業

石油や石炭、石灰などの天然資源から、合成樹脂、合成繊維、合成ゴム、化学肥料、医薬品、塗料などを生産して販売する。

加工度が高く、多品種少量生産型の医薬品や化粧品などの分野が注目されている。

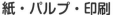
繊維工業

製糸、紡績、織物、染色から衣服の製造業であるアパレルまでを含む。積極的な多角化を進め、市場のグローバル化に対応した海外展開にも取り組む。

最近では、高機能素材の開発も進められている。

紙・パルプ・印刷

紙製品は、新聞用紙や各種印刷用紙などの「洋紙」と、段ボール原紙などの「板紙」に分かれる。パルプとは紙の原料となるもので、木材などを溶かして作られる。

印刷業は、雑誌や書籍、チラシやパンフレットなどの出版・商業印刷のほか、ICカード印刷などの事業にも取り組んでいる。

電気機器

電気機器は、発電機やモーター、配電盤などの「重電機器」、冷蔵庫や掃除機などの「家庭用電気機器」、パソコンをはじめとする「コンピューター機器」などの分野に分かれている。そのほか、電子部品、通信装置などの細分化された分野もある。

精密機器

医療機器、計測機器、OA機器をはじめ、カメラ・時計などの製造、販売を行う。

エレクトロニクス技術による製品の多様化とともに、これまで培ってきた技術を生かし、積極的に多角化が図られている。

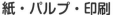

食品

　製菓・製パン、製粉、水産、乳業、食肉加工、食用油、調味料、飲料、飼料など、食品の製造、販売を行う。

　多様化する消費者ニーズに対応するほか、国際展開も活発化しており、良質かつ安価な原料調達に加えて、海外生産・販売など、事業規模を広げている。

建設

　建設業には、住宅やビルなどを造る「建築」と、道路や港湾などを造る「土木」がある。建築と土木の両方を行う総合工事業者をゼネコンという。

　建設業界では、専門工事業者や個人経営の工務店がゼネコンから仕事を下請けする構造が確立されている。

住宅・不動産

　おもな業務は、土地や建物の開発・分譲、オフィスや住居の賃貸、ビルやマンションの管理で、それらの代理や仲介業も含まれる。

　住宅販売・設備業では、高齢化や環境問題に対応した開発やリフォーム・リノベーションなどが注目されている。

情報・通信

　情報システムの構築やソフトウェア開発、情報処理などを行う「情報サービス業」や、固定電話・携帯電話・スマートフォンなどによる通信業務を担う「通信業」などがある。

　インターネットを通じたサービスが一般的になり、ソーシャルメディア向けの企画・開発が進んでいる。

金融・保険

　銀行は、預金者からお金を預かり、お金を必要とする企業などに貸し出す「仲介者」として、経済を循環させる役割を担っている。

　生命保険・損害保険会社は、契約者から保険料を受け取り、死亡時や入院時、事故やトラブルの際に保険金を支払う。

流通

　生産者と消費者の仲介をする流通業は、卸売業と小売業に大別される。

　卸売業には、特定の商品を取り扱う専門商社、多様な商品を取り扱う総合商社がある。

　小売業には、百貨店やスーパーマーケット、コンビニエンスストア、専門の量販店、通信販売店（オンラインストア）などがある。

レジャー・サービス

　レジャー・サービスには多様な種類がある。ファミリーレストランやファストフードなどの外食産業、観光事業やホテルなどの旅行関連事業、遊園地や映画館などの娯楽施設の運営のほか、より広くサービス業としてブライダル、警備業なども含まれる。

医療・福祉

　急速な高齢化の進行により需要が高まっているのが、介護事業。利用者の自宅に直接出向いてサービスを提供する「訪問介護」と、老人ホームや介護老人保健施設などに勤務する「施設介護」、日帰りでレクリエーションなどを利用者に提供する「通所介護」に大別される。

公務員の職種とその特色

　公務員には、国家公務員と地方公務員があります。

　公務員の仕事内容は多岐にわたり、国民や地域住民への奉仕者として、公共の利益のために行政サービスを行います。安定した職業であることから高い人気を誇りますが、国家公務員法や地方公務員法などによって、政治的中立や職務専念の義務、ストライキの禁止など、身分や服務に関する制限や規制を受けます。

　国家公務員と地方公務員はそれぞれ、法律に基づいて、一般職と特別職に分類されます。国家公務員の特別職は、裁判所職員、国会職員、防衛省職員など。地方公務員の特別職は、都道府県知事、市区町村長、地方議会議員などです。

　ここでは、国家公務員と地方公務員それぞれについて、高卒者を対象とした採用試験を行っている、おもな職種を紹介します。

	職種	職務内容
国家公務員	事務	各省庁で、一般の行政事務にあたる。調査や監査などの業務では、深夜勤務や交代制勤務といった変則的な勤務形態が含まれる場合もある
	技術	○地方運輸局などにおける自動車の検査・基準・整備事業、鉄道などの指導・監督・許認可、自動車運送事業の安全・環境対策といった技術的業務を行う ○地方整備局などにおける河川、道路、公園、港湾、空港、官庁施設などの調査・計画・施工・管理といった技術的業務を行う ○全国の気象台などにおける、気象の観測・予報、地域防災支援に関する技術的業務を行う
	農業土木	全国の地方農政局などで、農業農村整備などの調査・計画・施工・管理といった技術的業務を行う
	林業	全国の森林管理局などで、森林の保護・管理、造林などの森林施業や指導といった技術的業務を行う
	税務	税務大学校各地方研修所に入校し、約1年間の研修を修了後、税務署などで国税の調査や徴収などの業務にあたる
地方公務員	事務	都道府県庁、市区役所、町村役場などの自治体やその出先機関、学校、警察、病院、図書館などに勤務して、一般事務、学校事務、警察事務、医療事務などを行う
	技術	電気、機械、土木、建築、化学、農業、農業土木、林業、水産、畜産、造園などの分野で職務に就く
	警察官	国民の生命や財産の保護、犯罪の予防や捜査、交通取締りなど、公共の安全と秩序の維持のための任務にあたる。夜間勤務がある
	消防官	火災や水害が発生した際の救助・救急の災害活動、防火や防災の指導、急病人の搬送などの業務にあたる

企業を研究する

　職種や業種について幅広く検討し、自分の希望をまとめたら、いよいよ企業選びに入ります。自分の働く職場を選ぶのですから、「有名でかっこいいから」「大手だから」といったイメージだけで安易に判断してはいけません。どのような点を基準に選んでいけばよいのかを考えてみましょう。

🔍 企業選びの重点ポイント 🔍

- 安定性を見るには ➡ 資本金、従業員数、年間売上高など
- 将来性を見るには ➡ 技術力の高さ、事業内容の可能性など
- 働きやすさを見るには ➡ 経営方針、社風、社内教育制度など
- 収益性を見るには ➡ 販売力、収益力など
- 社会への貢献度を見るには ➡ 地域社会への理解など

　変化の激しい現代を企業が生きのびるためには、柔軟な発想で、方向転換を図ることも求められます。組織が古い体制に縛られていないか、仕事の進め方が機能的か、事業に将来性があるかなどが、その目安になります。
　また、発展のカギを握る企画力・技術力については、研究開発の姿勢など、これまでの成果から確かめられます。販売力に関しては、宣伝活動や店舗展開など、消費者のニーズを的確につかんで経営に反映させているかどうかという点を見るようにしましょう。

企業の規模にとらわれないように

　中小企業や中堅企業は、大企業に比べて経営基盤が弱いと見られがちです。しかし中規模の企業のなかにも、独自の魅力をもっているところはたくさんあります。規模だけで判断することなく、ぜひ、こうした企業にも注目しておきたいところです。

🔍 中小企業ならではのメリット・魅力

- 能力やアイデアを生かすチャンスが多い
- 任せてもらえる仕事が多い
- 幅広い業務に携わることができ、仕事を早く覚えられる
- 企業全体の様子が見え、その一員としてやりがいを感じられる
- 将来的な成長も期待できる

求人票から就業条件が見える

　企業の情報を得るための具体的なツールとなるのは、求人票です。毎年7月に入ってから学校に届くので、まだ届いていなければ、過去の資料が保管されていないかを、先生に聞いてみましょう。

　求人票には就業条件をはじめとした、企業のさまざまなデータが載せられています（2020年1月からＡ４サイズ2枚に様式が変更）。おもに次のような点に注目してみましょう。

🔍 求人票のチェックポイント

- ・どのような仕事に携わることになるか ➡ 事業内容と仕事内容
- ・正社員雇用か、もしくはそれ以外か ➡ 雇用形態
- ・何時から何時までの勤務か、残業はどの程度か ➡ 就業時間
- ・週休2日制か、もしくはそれ以外か ➡ 休日等
- ・基本給、支払日、通勤手当の有無、賞与など ➡ 賃金等
- ・健康保険や厚生年金保険などの有無 ➡ 福利厚生等
- ・どのような試験が行われるか ➡ 選考方法

　さらにその企業について知りたいと思ったら、会社案内に目を通してみたり、インターネットで調べたりすると、よりイメージが固まってくるでしょう。また、先生や両親をはじめ、実際に就職した先輩に話を聞いてみることも大切です。

　さまざまな企業を比較・検討して、自分の適性や希望と照らし合わせながら、受験する企業をしぼり込んでいきましょう。

ここに注目 🔍 自分の意志で働く場所を決めよう

　高校生の就職試験では、学校や先生から受験先の企業を推薦されることも、少なくはないようです。しかし、どの企業で働きたいのかを最後に決めるのは、自分自身。主体性をもって取り組むことが大切です。言われるままに従うのではなく、その企業のどこが自分に合っているのか、働きがいがありそうか、自分自身でじっくり考えるようにしましょう。

インターンシップを活用しよう

　インターンシップとは、学生が在学中に、自分の専攻や将来に関連のある職業の就業体験をすることです。インターンシップのねらいは、学生の職業意識を高め、仕事への適性を考えてもらうことにあります。文部科学省や経済産業省なども、この制度を積極的に推進していて、インターンシップは就職・採用活動における重要なプロセスの一つとなってきました。近年は、大学生だけでなく高校生を対象にしたインターンシップを実施する企業も、徐々に増えています。企業にとっては優秀な人材に出会う機会でもあり、企業イメージを高めるためにも大きな意義があります。

　高校生にとってのインターンシップの目的は、将来進む可能性のある仕事を試行的に体験することであり、それを通して自分の適性について理解を深めること、そして、勤労の意義を実感して具体的な進路設計へとつなげることです。そのためには、目的意識をきちんともって参加することが大切になります。

　この制度の具体的な状況や、高校生を受け入れてくれる企業が近くにあるのかなど、インターンシップに興味をもった人は、進路指導の先生に聞いてみたり、インターネットで調べてみたりするとよいでしょう。意外な企業が募集を行っている可能性もあります。

第2章

面接会場
シミュレーション

面接会場での入退室の流れから、面接官との
対話、一つひとつのマナーまで細かくシミュ
レーションをし、言葉づかいの総点検もしま
す。身だしなみのチェックも重要です。

面接会場シミュレーション

① 面接会場での心得

実際の面接会場で、どのような点に注意すべきかを知っておけば、スムーズに面接に入っていくことができます。控え室でのすごし方、面接室への入退室の仕方などを把握しておきましょう。

到着時から面接会場だと考える

面接官の前だけが、面接会場ではありません。面接は受験先企業に着いたときからはじまっている、という意識をもつことが大切です。

受付では……

企業に到着したら、入る前に、携帯電話やスマートフォンの電源を必ず切り、身だしなみがきちんとしているかをチェックします。

それから**受付**に行き、「学校名」「氏名」「入社試験で来たこと」をはっきりと伝えましょう。

面接に
うかがいました、
○○高等学校の
△△△△△です

廊下・階段・エレベーターでは……

廊下や階段、エレベーターなどでは、社員・職員や来客など、さまざまな人とすれ違います。そのなかに面接官がいることも十分に考えられます。面接の採点には関係なくても、きちんと挨拶するようにしましょう。

この場合は歩きながら軽く頭を下げる程度の会釈（P52参照）で構いません。

控え室でのすごし方

控え室で順番を待っている間は、まず緊張を解いて、リラックスすることが大切です。目を閉じて心を落ち着けたり、会社案内などの資料に目を通したりして、静かに自分の番を待ちましょう。

きちんとした姿勢を保とう

あまりにくつろぎすぎて、だらしない姿勢や態度になってはいけません。その場に面接官がいなくても、待っている態度も評価されているものと考えましょう。とくに次の点には、注意が必要です。

チェック！

- □イスにだらしなく座らない。
- □足を組んで座らない。
- □隣の人とおしゃべりをしない。
- □あくびをしたり、大きく伸びをしたりしない。

[良い例]

[悪い例]

心を落ち着かせる腹式呼吸

面接試験の直前は、どうしても緊張してしまうもの。そんなときのために、心を落ち着かせる腹式呼吸のやり方を覚えておきましょう。

①イスに姿勢よく腰かけ、軽く目を閉じる。
②鼻からゆっくり息を吸いながら、お腹をふくらませる。
③下腹部に息がたまっているイメージで、息を止める。
④口を少し開き、お腹をへこませながらゆっくり息を吐く。

面接室に入るときの流れを、しっかり把握しましょう。

1 名前を呼ばれたら、「はい」と元気よく返事をする

2 ドアをコンコンコンと3回、中に聞こえるようにノックする

3 「どうぞ」と返事があってからドアを開ける

4 中に入り、ドアに向き直ってから、静かにドアを閉める

5 ドアの位置で、面接官に「失礼します」と一礼をする

6 イスの横まで進み、姿勢を正して立つ

❼ 学校名と氏名を言って、丁寧に
礼をする

❽ 面接官に着席をすすめられてか
ら、イスに座る

退室シミュレーション

質問の受け答えが終わっても、最後まで気を抜いてはいけません。

❶ 面接官から「これで終わりで
す」と言われたら立ち上がる

これで
終わりです

❷ イスの横に立ち「ありがとうご
ざいました」と礼をする

ありがとう
ございました

❸ ドアの前まで進む。ホッとして
大きく息を吐いたりしない

❹ 面接官に向き直って一礼をし、
退室する

② マナーをきっちり覚える

★ - ★
面接試験では、質問に対する受け答えの内容だけでなく、態度や姿勢、動作がしっかりしているかどうかも重要なポイントになります。すべての言動が見られているという意識をもって臨みましょう。

正しいドアの開け方・閉め方

　ドアの開け方・閉め方にも、人柄が表れます。<u>ノックは3回するのがふつう</u>で、コンコンコンコンなどと4回以上もするのは、落ち着きのない、せっかちな印象を与えます。ノックのあと、面接室から「どうぞ」と返事があってから、下の図の要領でドアを開けます。

　なお、ドアには、押して開けるドア、引いて開けるドア、の2種類があります。押すか引くかの違いだけで、開け方の要領は同じ。前の人が入るときなどに確認しておき、あわてないようにしましょう。

①ノブが左についているときは右手で、右の場合は左手で持つ

②ドアを静かに開けて、中に入る

③反対の手で部屋側のノブに持ち替え、静かに閉める

好印象をもたらす立ち姿

すっと背筋の伸びた、きれいな立ち姿は、それだけで好印象をもたらすことができます。反対に、猫背や、うつむきかげんの姿勢は、疲れているように見えてしまうので注意しましょう。

気をつけの姿勢

立ち姿の基本となる大切な姿勢です。面接では何回かおじぎを行いますが、その前には必ずこの姿勢に入ります。

チェック！

- □ 背筋を伸ばし胸を張る。
- □ あごを引いて、首を真っすぐに立てる。
- □ 腕は自然に垂らし、体の横につけ、指先を伸ばす。
- □ かかとをつけ、つま先を軽く開く。

歩くときの姿勢

面接室の広さによっては、ドアからイスまで進むとき、数メートル歩くことになります。気をつけの姿勢を保ったまま、すっと歩き出すようにしましょう。

チェック！

- □ 体を真っすぐに立てたまま歩く。
- □ 腰から下に意識をおく。
- □ 手を自然に振る。
- □ 手の指は、真っすぐに伸ばす。
- □ リズミカルに歩く。

おじぎの仕方は3種類

　おじぎには、「会釈」「敬礼」「最敬礼」の3つの型があります。廊下などで人とすれ違うときは「会釈」、面接室のなかでは「敬礼」を使うのが一般的です。「最敬礼」を含めて、場面によって使い分けができるようにしておきましょう。

会釈

　上半身を15度くらい前に倒す、軽いおじぎです。**会社の廊下や階段などで人とすれ違うとき**には、この会釈を使います。視線を3mほど先に置くように心がけます。

敬礼

　上半身を30度くらい前に倒す、ふつうのおじぎです。面接室では、<u>①入室するとき、②着席するとき、③質問終了時、④退室するとき</u>、の計4回、この敬礼をします。視線を2mほど先に置くように心がけます。

最敬礼

　上半身を45度くらい前に倒す、丁寧なおじぎです。**お礼やお詫びなど、特別な気持ちを込めるとき**に使います。視線を1mほど先に置くように心がけます。

15°　　[会釈]　　30°　　[敬礼]　　45°　　[最敬礼]

美しいおじぎのポイント

自分ではきちんと行っているつもりでも、首が曲がっていたり、角度が浅すぎたりなど、意外に正しいおじぎはできていないものです。美しく見せるポイントをおさえて、鏡を見たり、人に見てもらったりしながら、何度も練習してみましょう。

第2章

マナーをきっちり覚える

①気をつけの姿勢で、相手の顔をしっかり見る

②首、背筋が曲がらないように、上半身を倒す

③一拍止める

④倒すときより、ゆっくりめに上半身を起こす

注意したい悪い例

頭だけをチョコンと下げる

背中が丸まってしまう

おじぎのとき手が後ろに伸びる

顔を上げたままおじぎする

スムーズなイスの座り方

　イスに座るときは、まずイスの横に立つのが基本です。学校名と氏名をはっきりと告げ、気をつけの姿勢から一礼をします。そして、すぐには座らずに、面接官から「おかけください」とすすめられてから、座る動作に入ります。次の４つのステップを、体で覚えておきましょう。

①左足を一歩前に踏み出す。
②右足をイスの前に、半円を描くように出す。
③左足を右足に引き寄せる。
④座面に腰を下ろす。

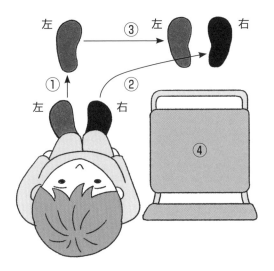

ここに注目

イスの横に立てないこともある！

　面接室の配置によっては、イスの横にスペースがなく、前に立たなければならなかったり、また、イスがテーブルに収まっていて、引き出さなければならなかったりすることもあります。
　このような場合でも、あわてずに、面接官の「おかけください」の言葉を待ってから、落ち着いて座る動作に入りましょう。

座っているときの姿勢

正しい姿勢をマスターする

　イスに座っている姿勢は、面接が行われている間も、ずっと見られています。どんなに受け答えの内容が素晴らしくても、だらしない姿勢ではマイナスの評価になってしまいます。次のチェック項目で、自分がきちんとした座り方をできているかどうか、確認してみましょう。

チェック! ▶ □深めに腰かける。

　　　　　□背もたれに背中をつけない。

　　　　　□膝は若干開くか、軽くつけて
　　　　　　そろえるようにする。

　　　　　□手は軽く握るなどして膝の上
　　　　　　に置く。

　　　　　□足先は平行にそろえる。

こんな姿勢に注意しよう

　最初はきちんとした姿勢ができていても、時間がたつにつれ、崩れてきてしまうことがよくあります。姿勢を保てるように、次のような点に注意しておきましょう。

チェック! ▶ □疲れても、背もたれに寄りか
　　　　　　かったりしない。

　　　　　□質問に気をとられても、腕を
　　　　　　組んだりしない。

　　　　　□長時間になっても、足を組ん
　　　　　　だりしない。

　　　　　□最後まで、足を開きすぎない
　　　　　　ように意識する。

　　　　　□足もとだけでなく、背筋を真
　　　　　　っすぐに保つことを心がける。

好印象をもたらす表情をつくる

　話をするとき、自然に笑顔をつくれる人は、相手に好感をもたれるものです。短い時間で行われる面接では、これは重要なポイントになります。しかし無理に笑顔をつくったり、にやにやしたりするのは逆効果。内面から自然に笑顔が出てくるように、日頃から心がけましょう。常に相手を敬う気持ちで接していれば、自然にやわらかい表情が身につきます。

　次に各部位のポイントを示したので、一つひとつ確認して、自然にこの表情がつくれるようにしておきましょう。鏡の前で練習してみるのも、一つの方法です。

心がけたいこと
・自然な笑顔が一番
・うつむきかげんにならない

眉間
・答えに困ったとき、しわを寄せやすいので注意

目
・面接官のほうをしっかり見る
・まぶたをしっかり開いて、生き生きと見えるように
・視線が下を向いたり、キョロキョロしたりしないように意識する

口
・だらしなく開いていないか意識する
・やや横長に結ぶと、にこやかな印象になる

首
・真っすぐに保つ
・返事のときに、首だけ振らない
・疲れてきても、まわしたりしない

気をつけたい態度

無意識のクセ

無意識のうちに、つい出てしまうクセには気をつけなければいけません。あらかじめしっかり対策をとっておかないと、本番で気をつけようとしても、知らず知らず出てしまうことにもなります。まわりの人に頼んで、自分のクセを指摘してもらうとよいでしょう。面接のときには、とくに次のようなことにならないよう、注意が必要です。

チェック！
- □ 何度も髪をかきあげない。髪をさわらない。
- □ 鼻の頭をかかない。
- □ 言い間違えたときに、頭をかかない。
- □ 貧乏ゆすりをしない。

緊張して思わず出てしまう動き

面接では誰もが"あがる"もの。日常にはない緊張状態に置かれるので、思いもしない動きが出てしまう場合があります。自分が緊張状態にあるとき、どうなるのかを、これまでの経験から思い起こしたり、予想されるケースを頭に描いたりして準備する必要があります。

チェック！
- □ 相手に対する警戒心から、腕を組んでしまわないように。
- □ 話すときに、体を揺らさない。
- □ だらしなくヘラヘラ笑わない。大笑いしすぎない。
- □ ガチガチに固まってしまわない。

ここに注目　マスクを着用してよいか確認をとる

　コロナ禍を経て、オンラインを除いてマスク着用を可としている企業もあるようです。ただし企業によって対応は異なるので、着用の是非についてとくに連絡がない場合は、事前に自分から確認しましょう。それができなければ当日、面接室へ入室した際にマスクを着用したままでの受け答えが可能か、断りを入れるようにします。事前に許可を得ているときも、面接開始前に一言そえるようにしましょう。

話し方のマナー

少し "ゆっくりめ" が基本

　面接の場では、誰でもふだんより早口になる傾向があるので、**意識して、少しゆっくりめに話します**。一つひとつの言葉をはっきり発音し、相手に聞き取りやすい話し方を心がけます。

　また、面接官の質問に対し、間を置かないですぐに話し出すと、焦って失敗する確率が高くなります。一拍、間を置いてから、落ち着いて答えるようにしましょう。

面接官をしっかり見る

　面接中は、面接官の目を見て話すのが基本です。あまり見つめすぎるのもよくありませんが、真っすぐな視線は、意志の強さや誠実さを伝えることができ、入社の気持ちが強いという評価につながります。

　正面から目を合わせるのに抵抗のある人は、相手の顔全体をやわらかく見るイメージで、おもに鼻からあごにかけて、ポイントを置くようにします。

覚えておこう　📖　こんな話し方をしていないか注意する

● ボソボソと聞き取りづらい声で話す
● はじめは聞き取れるが、終わりがすぼんでしまう
● まくしたてるようにしゃべる
● 面接官の質問をさえぎって、話しはじめる
● にやにやしながら話す
● 声が必要以上に大きすぎる

聞き方のマナー

誠意をもって耳を傾ける

面接では、自分が話すことに気をとられ、相手の言葉を聞くことには熱心になれないものです。しかし、質問に的確に答えるためには、きちんと聞くことが大前提。聞くことができてこそ、質問にもしっかりと答えることができます。

また、聞く態度そのものが評価の対象でもあります。面接官は多くの受験者を見ていますから、きちんと聞いているかいないかは、簡単にわかるものです。しっかり面接官の目を見ていても、心を込めて聞いていなかったら、見抜かれてしまうでしょう。誠意をもって相手の言葉に耳を傾け、そのうえで、次のようなポイントを心がけます。

チェック!

□姿勢をきちんと正す。
□相手の顔をしっかり見る。
□適度にうなずき、あいづちを打つ。
□自分の意見と違っても、最後まで聞く。

わからないときは

きちんと聞いていても、質問の意味がわからなかったり、聞き取れなかったりすることもあるでしょう。その場合は正直に言って、聞き直すようにしましょう。

「すみません、質問の意味がわかりづらかったのですが」「申し訳ありませんが、もう一度おっしゃっていただけますか」と、失礼のない言い方であれば、聞いても構いません。

「こういうことだろう」と自分で判断して、質問の主旨と違う答えを言ってしまわないよう気をつけます。

申し訳ありませんが、もう一度おっしゃっていただけますか

面接会場シミュレーション

③ 言葉づかいの総点検

★ 失礼のない話し方は、社会人として当然のマナー。面接の場にふさわしい、きちんとした言葉づかいを身につけましょう。ポイントは、正しい敬語の使い方をマスターすることです。

日常の心がけが大事

　自分がどういう言葉づかいをしているかは、あらためて意識しないと、わからないものです。まずは、次に挙げた点について、自分で振り返ったり、人に教えてもらったりして、自分の言葉づかいを知ることから、はじめてみましょう。

チェック!

- □語尾を伸ばしたり、だらしなく話さない。
- □わかりづらい省略語、流行語を多用しない。
- □間違った敬語の使い方をしない。
- □乱暴な言い回しをしない。
- □「だから」「それで」など接続語ばかりを使わない。
- □グチっぽい言い方をしない。
- □軽々しく批評や解説をしない。

　こうした点は、クセのようなものなので、急に改めようとしても、なかなかできるものではありません。ふだんの会話から、練習をするつもりで、丁寧な言葉づかいを心がける必要があります。

　敬語を正しくマスターして、友達同士で使っている言葉を控える習慣を身につけておきましょう。

「はい　わたしが　御社を…」

成功するための言葉づかい

面接での受け答えを順調に進めるには、いくつかのポイントがあります。次に挙げた注意点をマスターするだけでも、かなり印象が変わるので、しっかり心に留めておきましょう。

返事は「はい」

質問に対しては「はい、〜です」「はい、〜と思います」というように、頭に「はい」をつけるようにしましょう。リズムよく答えるためにも、「はい」をつけるのは効果的です。

「えーと」は言わない

「えーと」「えっとぉ」「あのう」などを多用する人がいますが、言わないようにします。ふだんから意識することで確実に克服できます。

自分のことは「わたし」

自分のことは、男子も女子も「わたし」と言います。「俺」や「ぼく」、「あたし」が出ないように気をつけること。「わたくし」もやや堅い印象。

「わたしは〜」を使いすぎない

「わたしは〜です。わたしは〜と思います。わたしとしては〜ではないかと思います」と、繰り返し何度も「わたしは〜」が出てくる話し方は、自己中心的な人物に思われてしまいます。

会社のことは「御社」

応募先の会社の呼び方は「御社」が基本。話の流れに応じて「こちらの会社」や「こちら」を使うとスムーズになります。「貴社」は履歴書など文字で書くときの言葉なので、話すときには使わないようにします。

慣れない言葉は使わない

丁寧な言葉づかいをすることは大切ですが、ふだん使わない言葉や難しい言い回しは、失敗をまねくおそれがあるので、避けるようにしましょう。

正しい敬語を身につける

　目上の人に対する言葉づかいは、敬語を使うことが前提になります。おもに「丁寧語」「美化語」「尊敬語」「謙譲語」があり、面接だけでなく、社会人になってからも必要なものなので、基本的な使い方をしっかり身につけておきましょう。

丁寧語

　「です」「ます」をつけて、言葉をやわらかく、丁寧にします。

　例：私の家は、4人家族です。

　　　父は市役所に勤めています。

美化語

　物事を美化し、言葉づかいを上品にして述べる表現です。

　例：お料理をいただきます。

　　　お手洗いは、どちらでしょうか。

尊敬語

　相手をもち上げることで、敬意を表す言葉です。相手の動作に「〜れる（られる）」「お（ご）〜なる」をつけます。

　例：担当の方が、資料を読まれる。

　　　担当の方が、資料をお読みになる。

謙譲語

　自分を相手より下げることで、敬意を表す言葉です。相手方に直接関係する自分の動作にかぎって「お（ご）〜する」をつけます。

　例：では、お待ちしています。

　　　私から、ご連絡します。

　謙譲語はより細かく分けると右ページの表のうち、相手側を立てる謙譲語Ⅰ（「うかがう」「申し上げる」など）と、自分の行為をへりくだって表現する謙譲語Ⅱ（「いたす」「おる」など）に分けられます。

覚えておきたい、特別な尊敬語と謙譲語

　動詞のなかには、「〜れる」「お〜なる」「お〜する」などをつけずに、特別な言い方で尊敬語や謙譲語になるものがあります。よく使うものを一覧にしたので、自然に使えるように覚えておきましょう。

	尊敬語	謙譲語
する	なさる	いたす
行く	いらっしゃる	うかがう まいる
来る	いらっしゃる お見えになる	うかがう まいる
言う	おっしゃる	申す 申し上げる
聞く	聞かれる お聞きになる	うかがう うけたまわる
見る	ご覧になる	拝見する
いる	いらっしゃる	おる
食べる	めしあがる	いただく
知る	ご存じ	存じる 存じ上げる
与える	くださる	差し上げる 進呈する
もらう	お納めになる	いただく 頂戴する

よく使う敬語を練習してみよう

　国語の勉強ではないので、友達や家族と一緒にゲーム感覚で練習すると、楽しく身につけることができます。

練習問題

次の文章を、敬語を含めた適切な言葉づかいに直してみましょう。

①ここの会社案内を見ました。

②はい、担当の人から聞いています。

③さっき、受付のところでペンを借りました。

④うちのお母さんが、貴社の商品を
　使っています。

⑤ぼくの履歴書を、見てもらったと
　思います。

⑥もう一度、言ってください。

⑦おじいちゃんのこと、知ってるん
　ですか？

⑧それじゃあ、来週の月曜日に電話
　をします。

解答

　敬語を含めた適切な言葉づかいは、次の下線部のとおりです。

①こちらの会社案内を拝見しました。

②はい、担当の方からうかがっています。

③先ほど、受付でペンをお借りしました。

④わたしの母が、御社の商品を使っています。

⑤わたしの履歴書を、ご覧いただいたと思います。

⑥もう一度、おっしゃってください。

⑦祖父のこと、ご存じなのですか？

⑧それでは、来週の月曜日にお電話いたします。

こんな使い方に注意！

間違った敬語の使い方や、過度に丁寧な言葉づかいは、相手に不自然な印象を与えます。自信のない尊敬語や謙譲語を、無理をして使うことはありません。「です」「ます」をつける丁寧語を徹底するだけでも、ある程度きちんとした話し方になります。次の例を参考にしましょう。

良い例：私の父は、毎日欠かさず卵を食べています。

悪い例：私の父は、毎日欠かさず卵をめしあがっています。

➡身内に尊敬語を使うのは誤り。「食べる」の謙譲語は「いただく」だが、この場合は丁寧語の「食べています」が自然。

良い例：このたび、御社を希望いたしましたのは〜

悪い例：このたび、御社を希望させていただきましたのは〜

➡丁寧に話す意識が強すぎて、「させていただく」と過剰な言い方になっている。この場合、単に「希望しましたのは」でもよい。

良い例：提出いたしました履歴書に、間違いがございまして〜

悪い例：ご提出いたしました履歴書に、お間違いがございまして〜

➡「ご」や「お」を、やたらにつければよいわけではない。これも敬語を意識しすぎた不適切な使い方になっている。

良い例：先ほどはまだ、いらっしゃらなかったようですので〜

悪い例：先ほどはまだ、いらっしゃられなかったようですので〜

➡「いる」の尊敬語「いらっしゃる」に、さらに「〜れる」がついて、二重の敬語表現になってしまっている。

良い例：自宅からこちらの会社までは、30分の距離です。

悪い例：自宅からこちらの会社までは、30分の距離でございます。

➡「でございます」は、丁寧すぎる。「です」でよい。同じように「であります」も好ましくない。

"若者言葉" に気をつけよう

ふだん友達同士で使う言葉は、面接のときにも、多かれ少なかれ出てしまうものです。「〜じゃない」「〜みたいな」などは、意識して言わないようにすれば、防ぐのはそれほど難しくありません。ただし、丁寧に話しているつもりでも、いつのまにか出てしまう言葉もあります。

注意したい言葉

・やっぱ〜
・〜だし
・〜みたいな
・〜って感じ
・〜とか、〜とか
・〜ていうか
・〜じゃないですか？
・自分的にいうと〜
・〜ぽい
・いちおう〜
・超〜
・〜系
・けっこう〜
・絶対〜
・すごい〜
・ぶっちゃけ〜

最近は、物事をはっきり言いきらず、あいまいに表現する傾向があるといわれます。「〜みたいな」「〜ていうか」「いちおう〜」などは、そのわかりやすい例です。「絶対〜」「すごい〜」なども、必要のないところに何度もつける人がいますが、これも話の内容を強調しているようで、実は直接的な表現を避けるはたらきをしてしまっています。

面接では、余分な言葉づかいで、せっかくの内容を台なしにしないよう、気をつけましょう。

"若者言葉" シミュレーション

　左ページに示した"若者言葉"が、実際にどのように出てしまうかを、シミュレーションしてみました。これは決してオーバーな例ではありません。直接的に言いきるのを避ける様子が、よくわかると思います。自分にもあてはまるところがある、という人は、この例を参考に気をつけるようにしましょう。

面接官　「あなたの趣味を教えてください」

受験者　「はい、やっぱ読書とかです」

面接官　「1か月に何冊ぐらい本を読みますか？」

受験者　「はい、けっこう学校の休み時間にっていうか、それだけじゃなく土曜とか日曜とかも読みますので、やっぱ5冊ぐらいは読んでいます」

面接官　「職種は何を希望しますか？」

受験者　「はい、いちおう経理とか、すごい希望しています」

面接官　「どうしてですか？」

受験者　「はい、私ってけっこう地味目な人間じゃないですか。だから自分的にはすごい事務系が向いてるっていうか、絶対営業系は無理っぽいですし。それで事務の仕事に就きたいと思って、すごい簿記の勉強したりとかして、資格とかも取ったみたいな感じです」

面接官　「もし営業になったら、どうしますか？」

受験者　「ていうか、ぶっちゃけ営業とかでも、それはそれで仕方ない感じがします」

面接官　「もし採用になったら、入社までに何をしたいと思っていますか？」

受験者　「採用してもらったら、超うれしいです。入社までには、やっぱいちおう自分的に、社会人の準備っていうか、しなきゃいけない感じがします。社会の一員として、それはもう絶対、すごい思います」

面接会場シミュレーション

④ 身だしなみを見てみよう

★ きちんとした身だしなみで、相手によい印象を与えられれば、なごやかな雰囲気が生まれ、面接を順調に進めることができます。万全の準備で面接に臨めるようにしましょう。 ★

第一印象で勝負！　身だしなみの3原則

よく「見た目より、中身が大事」といわれますが、**短い時間で判断される面接では、「中身」と同じくらい「見た目」も重要です。**面接官は、最初にパッと見たときの印象によって、その人を「こういう人なのかな」とイメージします。それが悪いものであれば、そのイメージのまま質問に入るので、それだけ不利になります。

第一印象をよくするには、髪、服装、足もとなど、頭のてっぺんから足の先まで、身だしなみに十分気を配ることが大切です。次の3項目は、その際の大原則なので、しっかり心に留めておきましょう。

清潔感があること

初対面の場合、清潔感があるのとないのとでは印象に大きな差が出ます。面接では「清潔すぎる」くらいがちょうどよいものです。

健康的であること

眠そうな目や疲れた表情は、不健康な生活を感じさせてしまいます。ふだんから規則正しい生活を心がけ、万全の体調で臨めるようにします。

乱れのないものであること

「真面目」で「乱れのない」服装や髪型が求められます。奇抜さや派手さは、面接ではマイナス。「見た目が大事」というのは、目立つことではなく、きちんとしていることをさします。

頭髪はスッキリさせること

　髪は人によって質が異なるため、何の手入れをしなくてもきれいにまとまる人もいれば、いつも気にかけているのにまとめるのが大変な人もいます。面接では、清潔な印象が求められるので、まとまりづらい髪質の人は短めにカットするなど、何らかの対策が必要です。友達に聞いて、シャンプーやリンス、整髪料などを工夫してみるのもよいでしょう。

　どのようなタイプであっても、面接に備え、髪の手入れはしっかりしておきたいもの。次のようなポイントをおさえておけば、よい印象をもたらすことができます。

チェック！▶
　□スッキリ、清潔なイメージが大切。
　□前髪は目にかからないようにする。
　□パーマやウェーブは避ける。
　□染めたり、脱色したりしない。
　□当日は、寝グセを直し、しっかり整髪する。
　□髪をかきあげたり、さわったりするクセには気をつける。

[頭髪の注意点]
□整髪料で髪の毛を立てすぎないようにする
□おじぎをするとき顔にかからないように、長い髪は後ろで束ねておく。できるかぎり、控えめな色のゴムやヘアピンを選ぶ

服装をしっかりチェック！

　学校に制服がある場合は、面接でも制服を着用します。制服がない場合は、清潔感があって整った服装を選びます。紺や濃紺で無地のスーツがよいでしょう。あまり高価なものは避けるようにします。

　着用にあたっては、下に示したチェックポイントがきちんとクリアできているか、自分でチェックしてみましょう。なお、マスクの着用が必要な場合は、色は白などの控えめなもので、無地のものを選ぶようにします。

□シャツ（ブラウス）は
　アイロンをかける

□リボンやネクタイは
　曲がっていないか

□服にしわがよって
　いないか

□糸くずなどが
　ついていないか

□スカートは
　短すぎず・長すぎず

□校章は
　きちんとつける

□肩や背中にフケが
　ついていないか

□ボタンはすべて
　しっかりと留める

□シャツのえりや
　袖口の汚れに注意

□ポケットから
　ハンカチなどが
　出ていないか

□ズボンの折り目は
　ついているか

足もとは意外と大事

　足もとは一見、目立たないようですが、面接官と向かい合って座ったときには、とても目につきやすい部分です。ここがきちんとしていないと、全体がだらしなく見えてしまい、せっかく髪型や服装を整えても、すべて台なしになってしまいます。

　全体を引き立たせるための重要なポイントであることを十分に意識して、次のような点に注意する必要があります。

チェック!

- □靴は学校指定のものがある場合は、それをはく。
- □服装がスーツの場合は、靴はスーツの色に合ったものを選ぶ。黒、もしくは濃い茶系が好ましい。
- □靴はきれいに磨いておく。
- □ストッキングの伝線に注意する。
- □靴下に汚れはないか、確認する。

ここに注目　話の内容で、個性をアピールしよう

　面接では、少しでも印象に残るほうがよいと思い、奇抜な髪型や服装で、個性をアピールしようと考える人もいるでしょう。しかし、見た目の派手な人は、ほかの受験者から浮いてしまい、入社試験の面接ではかえって不利になります。面接官の質問に対する、受け答えの内容でアピールすることを、第一に考えましょう。

第2章

身だしなみを見てみよう

こんなところにも気を配りたい

腕時計

腕時計は、ふだん使っているもので構いませんが、極端にカラフルだったり、キラキラと派手なものは避けておきます。また、アラームがセットしてある場合は、解除しておくのを忘れないようにしましょう。

めがね

めがねも、ふだんのものでOKですが、フレームが曲がっていたり、レンズにキズがついていたりする場合は、この機会に新調するとよいでしょう。試験当日は、レンズをしっかり磨いて、面接に臨みます。

携帯電話・スマートフォン

マナーモードの設定にするのではなく、必ず電源を切ります。面接会場では、時計として使うのも好ましくありません。自動で電源の入るアラームは解除するのを忘れないようにしましょう。

直前チェック

面接試験直前に、必ずトイレなどで身だしなみをチェックします。髪型、服装、足もとはもちろん、次の点にも気をつけましょう。

□**目やにがついていないか。**
□**唇や歯に、食べカスがついていないか。**
□**鼻毛が出ていないか。**

覚えておこう
身だしなみのタブーもチェック

面接の場にふさわしくないおしゃれは、いくらセンスがよくても、減点の対象になります。次の点にはとくに、注意しておきましょう。
●過度な化粧やヘアメイクをしない
●マニキュアをしない
●ピアス、指輪などのアクセサリーをつけない

試験前日にしておくこと

持ち物をそろえる

　前日の夜までに持ち物をそろえ、当日の朝は、サッとチェックするだけの状態にしておきます。家を出るときにあわてると、一日のリズムが崩れ、試験に影響が出てしまうからです。巻末の「持ち物チェック」を利用して、着実な準備を心がけましょう。

会場までの道順を確認

　試験会場までの行き方を確認しておきます。途中で迷ったり間違えたりすると、気持ちに焦りが出て、試験に大きな影響を及ぼします。利用する交通機関、乗り換え駅、所要時間などを、しっかり把握しておきましょう。

履歴書の控えに目を通す

　面接試験に備え、もう一度履歴書の控えを見ておきます。とくに、必ず質問される志望理由などについては、履歴書に書いたものと食い違わないよう、しっかり頭に入れておく必要があります。

会社案内などを読む

　面接では、その企業のことを理解できているかを問う質問もされます。会社案内やホームページなどに目を通し、基本的なデータや業務内容、主力製品など、ポイントとなる部分を確認しておきましょう。

履歴書の書き方とポイントを知ろう

　履歴書は、面接官が試験前に受験者のプロフィールを知ることのできる、数少ない手段。必須事項を正確にもれなく記入し、できるかぎりのアピールを心がけましょう。

　履歴書を書くときのポイントは、次のとおりです。

●必ず下書きをしてから清書すること。先生や両親など、まわりの人にも内容をチェックしてもらいましょう。また、清書をするときは、黒の万年筆かボールペンを使うようにします。

●日付は、記載日ではなく、提出日を算用数字で記入します。

●氏名は戸籍に記載された正式な表記とします。

●現住所は都道府県を省略せず、「○丁目□番△号」として算用数字で記入します。マンション・アパート名も忘れないようにしましょう。

●写真は、3か月以内に撮影したものを貼ります。制服があれば必ず制服を着用して、スピード写真ではなく、専門店で撮影してもらいましょう。裏に氏名・学校名の記入を忘れずに。

●学歴には正式な学校名を記入します。卒業見込みまでをしっかりと書き込みましょう。

●取得している資格等があれば、取得した順に、正式名称で記入します。もっている資格がなければ、「特になし」と記入します。

●趣味・特技は、できるかぎり具体的に挙げていきましょう。校内外の諸活動は、クラブ活動や委員会活動、ボランティア活動などについて記入します。役職や活動内容についても、可能な範囲で書いておきましょう。

●もっとも重要なのが、志望理由。なぜその企業を志望したのか、その職種を選んだ理由は何かを、自分の言葉で記入しましょう。面接で必ず聞かれる項目なので、受け答えとズレのないように、素直な気持ちを記しておくことが大切です。

第**3**章

面接の応答
シミュレーション

テーマごとに設けられた質問に対して、［こ
こに注意！］→［判定つき回答例］→［ワン
ポイントアドバイス］と読み進め、どのよう
に答えていけばよいかを考えてみましょう。

面接の応答シミュレーション

質問への答え方を考えよう

★--★
面接試験で出される質問は、どの企業でも大きくは変わりません。テーマごとに代表的な質問を取り上げ、その回答例を用意してみました。これを参考にして、自分なりの答え方を考えていきましょう。

3ステップ＆3段階判定で構成

　面接の応答シミュレーションは、質問ごとに、3ステップ＆3段階判定で構成されています。その質問の何に注意して、どのような答え方をしていけばよいのかを、一つひとつ考えていきましょう。読み進めていくうちに、だんだんとコツがつかめてくるはずです。

　右ページの凡例も参考にしながら、3ステップの流れを簡単におさえておきましょう。

■STEP① ［ここに注意！］

　まずは、質問についての注意点に目を通します。その質問で何が問われているのか、答え方のポイントを把握しましょう。そのうえで、自分なりの答えを考えてみましょう。

■STEP② ［判定つき回答例］

　自分の考えがまとまったら、回答例を一つずつ見ていきます。回答例は2〜3パターンあり、それぞれ ○ △ ✖ という3段階判定のいずれかのマークがついています。自分の答えと照らし合わせてみましょう。

■STEP③ ［ワンポイントアドバイス］

　合格点の回答例にも、不合格の回答例にも、それぞれ理由が必ずあります。自分の答えがどの判定に近いとしても、必ずアドバイスに目を通し、よりよい答えにするには何が必要なのか、考える習慣をつけましょう。

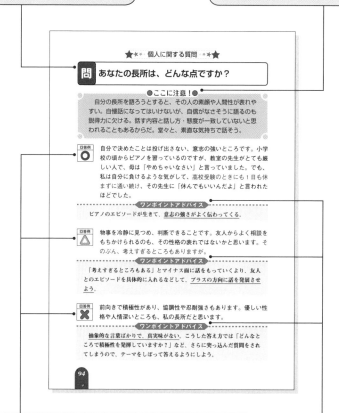

★·*·· 個人に関する質問 ··*·★

問 あなたの長所は、どんな点ですか？

●ここに注意！●

　自分の長所を語ろうとすると、その人の素顔や人間性が表れやすい。自慢話になってはいけないが、自信がなさそうに語るのも説得力に欠ける。話す内容と話し方・態度が一致していないと思われることもあるからだ。堂々と、素直な気持ちで話そう。

回答例 ○　自分で決めたことは投げ出さない、意志の強いところです。小学校の頃からピアノを習っているのですが、教室の先生がとても厳しい人で、母は「やめちゃいなさい」と言っていました。でも、私は自分に負けるような気がして、高校受験のときにも１日も休まずに通い続け、その先生に「休んでもいいんだよ」と言われたほどでした。

ワンポイントアドバイス
ピアノのエピソードが生きて、意志の強さがよく伝わってくる。

回答例 △　物事を冷静に見つめ、判断できることです。友人からよく相談をもちかけられるのも、その性格の表れではないかと思います。そのぶん、考えすぎるところもありますが。

ワンポイントアドバイス
「考えすぎるところもある」とマイナス面に話をもっていくより、友人とのエピソードを具体的に入れるなどして、プラスの方向に話を発展させよう。

回答例 ✖　前向きで積極性があり、協調性や忍耐強さもあります。優しい性格や人情深いところも、私の長所だと思います。

ワンポイントアドバイス
抽象的な言葉ばかりで、真実味がない。こうした答え方では「どんなところで積極性を発揮していますか？」など、さらに突っ込んだ質問をされてしまうので、テーマをしぼって答えるようにしよう。

94

第3章

質問への答え方を考えよう

■判定つき回答例
　回答例には、それぞれ次の判定のいずれかがついています。また、重要箇所は色文字で強調しています。
・合格点の回答例 ➡ ○
・合格点までもう一歩、まずまずの回答例 ➡ △
・これでは不合格という回答例 ➡ ✖

■ワンポイントアドバイス
　それぞれの回答例について、どこがよいのか、どこが適切でないのかを解説しています。とくに大切な箇所には下線を引き、発展的な考え方や修正ポイントをアドバイスします。

テーマごとのポイントをチェック

質問は、その内容に応じて、いくつかのテーマに分類しています。テーマごとのポイントを、簡単に説明していきましょう。

導入の質問

受験者が席に座ると、まず面接官は、「緊張していませんか？」「順番を待っている間、何を考えていましたか？」といった質問を投げかけてきます。これは、受験者をリラックスさせるための準備体操のようなもの。元気よく返事をして、いいスタートを切れるようにしましょう。

➡詳しくはP80から！

定番の質問

ここでは、「導入の質問」以外のテーマから、頻出中の頻出として1問ずつをピックアップしました。各質問を見開きで扱い、左ページに定番対策のコーナーを設け、右ページに回答例を並べてあります。ここで取り上げる2つの対策の内容は、以降の質問にも応用できるので、じっくり読み込んでおきましょう。

➡詳しくはP84から！

■定番対策1
どのように回答を組み立てればよいか、①から④のチェックポイントを立てて解説しています。

■定番対策2
その質問に対する、面接官の評価のポイントを、3つ挙げてあります。

定番対策 1　答えの組み立て方のカギは「自己分析」

①自分がどんな人間か、特徴を書き出してみる
この質問で欠かせないのは、自己分析の作業。まずは、自分を象徴するフレーズを思い浮かべて、どんどん書き出してみよう。

⬇

②書き出したフレーズから、セールスポイントをしぼり込む
自分を表す言葉が書き出せたら、そのなかに自分のセールスポイントとして押し出せるものがないかを考えてみよう。

⬇

③セールスポイントの裏付けとなるエピソードを考える
自分のセールスポイントを証明するエピソードを思い浮かべてみよう。クラブ活動や学校行事、ふだんの習慣もヒントになる。

⬇

④エピソードを1分程度にまとめて練習する
取り上げるセールスポイントとエピソードが固まったら、1分程度にまとめよう。実際に声に出して、時間調整をしていこう。

定番対策 2　面接官は「的確にまとめる力」を見る

- 「自己紹介」という定番の質問に対する準備ができているか。
- 短時間でポイントをしぼったまとめ方ができているか。
- その人の魅力を伝えられる内容になっているか。

個人に関する質問

　長所や短所、趣味、特技をはじめ、休日のすごし方など、受験者のプロフィールについての質問です。自分のことをどれくらい客観的にとらえられているか、自己分析の成果が問われます。もちろん、自分を積極的にアピールするチャンスでもあります。　　　　　　　　　**⊃詳しくはP94から！**

学校生活に関する質問

　学校生活とはいっても、聞かれているのは、おもに今通っている高校に関することだと考えましょう。それほど答えには困らないようにも思えますが、学校の校風や魅力、印象に残っている授業などは、意外とすぐには思い浮かばないものです。事実と異なる発言だけはしないように注意しましょう。　　　　　　　　　　　　　　　　**⊃詳しくはP108から！**

職場または働くことに関する質問

　その企業の業務内容を把握しているか、希望職種がしっかり定まっているかなど、面接のなかで大きなヤマ場となるテーマです。仕事観や職業観を問う質問も多く、面接官は「実際に入社したらどのような意識で働いてくれるだろう……」というところを見ています。働くことへの意欲をアピールすることが大切です。　　　　　　　　　　**⊃詳しくはP123から！**

交友関係に関する質問

　企業という組織の一員になるうえで、人間関係をどのように築いていけるかは、とても大切な要素。友達や先輩・後輩とのつきあい方から、協調性やコミュニケーション能力が見られることになります。学校の友達と職場の同僚の違いを問う質問もあります。　　　　　**⊃詳しくはP144から！**

一般常識・時事に関する質問

　働くことになれば、社会の動きとも、より深くかかわっていくことになります。新聞を読んだり、テレビのニュースを観たりして、自主的に世の中の動きを感じ取ろうとする意識をもちたいところです。志望先の業界や職種に関係する話題を調べておくのもよいでしょう。

⊃詳しくはP154から！

導入の質問

●ここに注意！●

「導入の質問」は、本題に入る前の挨拶のようなものと考えておこう。質問の内容を深く考えすぎず、素直に、元気よく受け答えすること。面接官の目をしっかり見て、はきはきと答えよう。緊張感がほぐれ、落ち着いた状態で臨めるようになれば理想的だ。

お名前を言ってください。

 はい、○○○○です。よろしくお願いします。

 あ、えっと、○○です。こんにちは。

ワンポイントアドバイス

名前を聞かれるのではなく、「○○○○さんですね」と確認されることもある。どちらにしても最初の一声だから、気持ちを引き締めて、きちんと答えられるようにしよう。本人確認のためにも、自分の名前はフルネームで答えるようにすること。

昨夜はよく眠れましたか？

 はい、だいたいよく眠れたような気がします。

 試験のことが気になってなかなか眠れず、ベッドのなかでマンガを読みながら時間をつぶしていました。

ワンポイントアドバイス

「だいたい」などとつけずに、「よく眠れました」と言おう。こういう答え方だと、あまり眠れなかったようにも聞こえるので、どちらともとれるあいまいな表現は避けること。また、試験の前日に緊張してなかなか眠れなくても、「マンガを読みながら」夜更かしするのは、印象がよくない。

緊張していませんか？

 はい。一度、深呼吸をしてもよろしいですか。

 あ、ハイ、いえ……し、していません、大丈夫、です。

------◀ ワンポイントアドバイス ▶------

　緊張しているのだったら、「緊張しています」と答えて構わない。素直に言うだけでも緊張がほぐれるはずだ。また、緊張した状態を引きずらないためにも、<u>一言断ってから深呼吸をはさむのも</u>、一つの考えだ。

今朝は何時頃に起きましたか？

 はい、いつもより少し早めで、6時に起きました。

 ついつい夜更かしをしてしまって、すっかり寝坊してしまいました。試験開始時間に間に合ってよかったです（笑）。

------◀ ワンポイントアドバイス ▶------

　大事な試験の日に、<u>余裕をもった行動ができている</u>ことで、意識の高さをアピールできる。仮に寝坊してしまったとしても、笑い話のようにして伝えることは望ましくない。

今朝は何を食べましたか？

 はい、ご飯と納豆とお味噌汁、卵焼きと、それから野菜サラダです。とくにいつもと変わらない朝食でした。

 確か、パンだったかなと思います。朝からバタバタしていたので、何を食べたのか、あまりはっきりと覚えていません。

------◀ ワンポイントアドバイス ▶------

　朝食を食べてこなかった人は、<u>正直に「食べませんでした」と言うこと</u>。嘘をついて勝手にメニューをつくったり、覚えていないなどと答えるのは、絶対にダメ。つくり話は、<u>必ずどこかでボロが出てしまう</u>。

第3章

導入の質問

81

当社の場所はすぐにわかりましたか？

 はい、わかりました。会社案内に載っていた地図を見ながら来ましたので、とてもわかりやすかったです。

 最寄り駅がふだんからよく使っている駅なので、大丈夫かと思っていたんですけれど、だいぶ迷ってしまいました。

◀━━━━━ **ワンポイントアドバイス** ━━━━━▶

会社案内をしっかり活用しているところは、好印象になるはず。「大丈夫かと思っていたけど迷ってしまった」という主旨の発言からは、不注意な性格ととらえられてしまう。

来る途中、どんなことを考えていましたか？

 はい、ふだんは自転車通学ですが、今日は電車でしたので、朝のラッシュがすごいなあと、感心してしまいました。

 混雑している電車内で押されたり足を踏まれたりして、ちょっとむっとしてしまいました。

◀━━━━━ **ワンポイントアドバイス** ━━━━━▶

「遅刻しないように心がけていました」と答えるのがふつうだが、朝のラッシュに驚いたという答え方も、素朴で悪くはない。2番目のような回答は、実際にそう思ったとしても面接の場では控えたい発言だ。

今日の筆記試験は、どうでしたか？

 はい、あまりできませんでした。

 試験対策がはまって、超楽勝でした。

◀━━━━━ **ワンポイントアドバイス** ━━━━━▶

仮にできなかったとしても堂々と答えて、面接で挽回（ばんかい）しよう。また、手応えがあったとしても、自信過剰な発言は印象がよくない。「試験対策のかいがあって、順調に取り組むことができました」などと答えよう。

もう少しリラックスしましょうか？

はい。お気遣いありがとうございます。

緊張はしていませんので、大丈夫です。

ワンポイントアドバイス

「導入の質問」は、面接官が受験者をリラックスさせるためにしてくれているようなもの。素直に「はい」と感謝の言葉を述べて、ひと呼吸はさむ機会にしよう。

順番を待っている間、何を考えていましたか？

面接でどんな質問をされるのだろうと気になりましたが、深呼吸をして、心を落ち着かせるようにしていました。

肩の力を抜くために、面接が終わってから何をしようかと考えていました。

ワンポイントアドバイス

筆記試験のことは忘れ、心を静めて、面接に集中することが大切。とはいえ、リラックスしすぎて試験のことをそっちのけにしてしまうのはよくない。

それでは、これからいくつか質問をします。

はい。よろしくお願いします。

はい。何でもどんどん聞いてください。

ワンポイントアドバイス

質問の本題に入る前なので、あらためて「よろしくお願いします」と挨拶すること。適度な緊張感を保ちながら、一つひとつの質問に答えていけるようにしよう。

問 簡単に自己紹介（自己PR）をしてください。

●ここに注意！●

定番中の定番の質問で、「1分間で〜してください」など、時間が区切られていることも多い。自分の性格、趣味、特技について、簡潔にわかりやすく伝えること。具体的なエピソードを中心に組み立てれば、短い時間でも十分に自分の色を出せるはずだ。

● 定番対策 1 答えの組み立て方のカギは「自己分析」

①自分がどんな人間か、特徴を書き出してみる

この質問で欠かせないのは、自己分析の作業。まずは、自分を象徴するフレーズを思い浮かべて、どんどん書き出してみよう。

②書き出したフレーズから、セールスポイントをしぼり込む

自分を表す言葉が書き出せたら、そのなかに自分のセールスポイントとして押し出せるものがないかを考えてみよう。

③セールスポイントの裏付けとなるエピソードを考える

自分のセールスポイントを証明するエピソードを思い浮かべてみよう。クラブ活動や学校行事、ふだんの習慣もヒントになる。

④エピソードを1分程度にまとめて練習する

取り上げるセールスポイントとエピソードが固まったら、1分程度にまとめよう。実際に声に出して、時間調整をしていこう。

● 定番対策 2 面接官は「的確にまとめる力」を見る

・「自己紹介」という定番の質問に対する準備ができているか。
・短時間でポイントをしぼったまとめ方ができているか。
・その人の魅力を伝えられる内容になっているか。

私は中学・高校と、バスケットボール部に所属していました。県大会で上位に食い込むチームということもあり、練習はとても厳しかったのですが、それを乗り越えてきましたので、体力と精神力には自信があります。また、クラブ活動以外では、音楽を聴いたり、本を読むなど、意識的に時間をつくって、一人で考えながらすごす時間も大切にしています。

━━━━━━━━ ワンポイントアドバイス ━━━━━━━━

　学校内ではどんなことをしてきたか、一方で家ではどのようにすごしているのかが、簡潔に表現できている。音楽鑑賞や読書は趣味としてそこまで目を引くものではないが、クラブ活動で多忙ななかにも「意識的に時間をつくる」ように取り組む姿勢を示しているのがよい。

 人と話をするのが好きで、初対面の人でもすぐに仲良くなれるのが、自分の取り柄です。家族や友達からは「うるさい」とかよく言われますが、たぶん、声がデカくてテンションが高いせいもあると思います。高校１年生のときから文化祭実行委員をやっているんですけれど、「なんかおもしろそうだな」って思ったことには、とにかく迷わず取り組んでみようと心がけています。

━━━━━━━━ ワンポイントアドバイス ━━━━━━━━

　面接を受ける立場として、全体的にもう少し言葉を選んで発言したい。ただし、明るく積極的な性格は、面接官にもしっかり伝わるだろう。

 私は、物静かで几帳面な性格をしています。クラスや委員会の先生からは、目立たないけれどきっちり仕事ができるタイプ、と褒められたこともあります。ただ、一人で目の前のことに集中して取り組むのは得意ですが、他の人と一緒に何かをするというのが、ちょっと苦手です。

━━━━━━━━ ワンポイントアドバイス ━━━━━━━━

　自己紹介をするときに、先生や友人など、まわりの人の声を交えることは悪くない。一方で、集中して仕事ができるというセールスポイントのあとに、協調性を否定する発言を入れるのはマイナス。自分の強みは強みとしてしっかりアピールして、そちらのエピソードをもっとふくらまそう。

問 高校生活で得たものは何ですか？

●ここに注意！●

　これまでの高校生活を振り返ってみよう。自分にとってプラスになったものが、必ずあるはずだ。それを抽象的な言葉ではなく、具体的な体験として答えよう。クラブ活動や生徒会活動、校外でのボランティア活動などをテーマにしてもよい。

● 定番対策 1 　力を注いできたことの中身がポイント

①高校生活で印象に残っている、力を入れたことを考える
　得たものと言われても、最初は抽象的な言葉しか浮かんでこないもの。まずは、自分が何に力を注いできたかを基準に考えてみよう。

②力を入れたことに対して、どんな結果が出せたかを考える
　数字で表すことができるようなものではなくても、自分が力を注いできたことであれば、何かしらの成果はあったはず。

③具体的なエピソードとからめられないかを考える
　原因（力を入れたこと）と結果（得たもの）をつなげるエピソードがないかを、考えてみよう。話の肉付けにあたる部分だ。

④どのように伝えるか、メッセージをしぼる
　「責任感」や「積極性」といった言葉に頼るのではなく、得たものを具体的な言葉に換えてみよう。

● 定番対策 2 　どんな高校生活をすごしたかが見られる

・高校生活の充実ぶりが伝わってくるか。
・話に真実味や具体性はあるか。
・受験者の人間性、意欲などが感じ取れるか。

はい、ソフトボール部での活動を通じて、信頼できる仲間と出会えたことです。毎日のように練習を重ねても試合ではなかなか結果を出すことができず、苦しいと思う時間のほうが長かったのですが、３年間一緒に歩んできた同期の部員とは、言葉を交わさなくてもわかり合えるぐらい、強いきずなで結ばれるようになりました。クラブ活動を通じて得た仲間との信頼関係を、これからの人生や仕事に生かしていきたいと思っています。

------------ ◀ ワンポイントアドバイス ▶ ------------

　苦しくても最後までやり抜いた意志力、仲間との信頼関係は、社会人として働いていくうえでも、大きなアピールとなるはず。これから共に仕事をしていく**面接官にとっても、十分に期待を抱かせられる内容**だ。

高校生活を通じて得られたものは、何にでも自主的に行動するようになった、ということです。担任の先生が自主性を尊重してくださる方だったこともありますが、上級生がいないことで、１年生のときから簿記部の部長をつとめるようになったことも、大きかったと思います。その経験もあって、２年生の秋からは、生徒会副会長としても活動してきました。

------------ ◀ ワンポイントアドバイス ▶ ------------

　簿記部の部長や、生徒会副会長になった理由と、「自主的に行動するようになった」ということの**つながりが、今一つ薄い**。簿記部や生徒会でのエピソードを取り上げて、**具体的に話を展開させてみよう**。

社会人として働くうえで、基礎となる力を得ました。規則正しい生活を心がけ、毎日しっかりと勉強に取り組み、クラブ活動もがんばりました。クラスでも同級生と充実した日々をすごし、集団活動の基本を身につけることができたと思っています。ここで得た責任感や協調性を忘れず、これから仕事に取り組んでいきます。

------------ ◀ ワンポイントアドバイス ▶ ------------

　マニュアル本にあるような答え方になってしまっていて、**個性が感じられない**。まずは、自分が高校生活で何に一番力を入れていたのかを考えるところからはじめよう。

問 なぜ当社を志望したのですか？

●ここに注意！●

仮に学校や先生から推薦された企業だとしても、それだけが志望理由ではないはず。その企業のどこに魅力を感じているのかを、自分の言葉でしっかり伝えられるようにしよう。そのためには、会社案内や求人票などから、じっくりと分析しておくことだ。

● 定番対策 1　志望する企業を「知ること」が欠かせない

①その企業を選んだ理由を明確にする

安定性や将来性、働きやすさなど、数あるなかからその企業を選んだ理由が、必ずあるはず。まずはそれを言葉に表してみよう。

②志望先企業独自の魅力や特徴を考える

①ともつながるが、ほかの企業と比較したときに、志望先企業のどこに魅力があり、どんな特徴があるのかを分析してみよう。

③自分がその企業に入って何ができるかをイメージする

「入社したい」という希望だけでなく、その企業に入って自分が実際に何をしたいか、何ができるかまでを考えてみよう。

④その企業での仕事を通じて、何が得られるかを考える

仕事を通じて自分がどうなりたいか、そして企業に対してどのような貢献ができるか、そこまでを考えられたらベスト。

● 定番対策 2　「自分で選んだ」という意志を示すこと

・志望理由が明確で、その人の個性や意志が表れているか。
・熱意や意欲が感じられるか。
・志望先企業のことをしっかりと理解できているか。

私は工業高校に在籍していることもあり、高校入学前から、学んできたことを生かせる職場で働きたいと考えてきました。また、創業四十年の伝統があり、堅実な社風で知られる御社に入社できれば、仕事の基本をしっかりと身につけることができ、これからの自分の成長にもつながると思っております。自分の適性と御社の社風をふまえて、志望いたしました。

---------------■ ワンポイントアドバイス ■---------------

　高校で学んできたことを、仕事を通じてさらに高めていきたいという意欲が感じられる。志望先企業を選んだ理由も明確で、面接官も納得できるまとめ方になっている。

　正直に言いますと、進路指導の先生と、両親に強くすすめられたことが、志望の大きな理由です。ですが、私自身、実際に会社案内やホームページなどで御社について調べてみまして、「お客様の満足を第一とする」という社訓が、会社全体に徹底されていると感じました。ぜひ入社したいと思っております。

---------------■ ワンポイントアドバイス ■---------------

　素直に話すことも悪いことではないが、最終的に志望先を選んだのは、本人のはず。自分で調べた社訓についての話題をせっかく取り上げているのだから、それを突き詰めて、「強い共感を抱きました」など、志望理由に直接つながるようなアピールにしていこう。

　一番の理由は、自宅に近く、福利厚生が充実しているという条件がそろっていたからです。ほかにも似た条件で働ける会社があり、そちらと迷ったのですが、最後は自分の直感を信じて、御社に決めました。今日、実際にお邪魔してみて、社員の方々は気さくに接してくださり、職場も明るい雰囲気で落ち着いているので、自分の判断は間違っていなかったと感じています。

---------------■ ワンポイントアドバイス ■---------------

　迷った末に自分のフィーリングを信じて会社を選んだとしても、面接の場でそれを理由にするのは不適切。言葉づかいも丁寧にしようと心がけてはいるが、自分の印象ばかり述べていて、好ましい態度とはいえない。

問 友達との出来事で、思い出に残っていることを教えてください。

●ここに注意！●

　幼い頃のエピソードよりは、今の自分と直結している、高校生になってからの出来事のほうがよい。人によって思い出はさまざまだが、重い話題は避けること。聞いている面接官も気持ちがよくなるようなエピソードを選ぼう。

● 定番対策　1　何を伝えられるかがポイントになる

①高校時代の思い出をピックアップしてみる

　学内の行事やクラブ活動、交友活動のなかから、思い出せること、印象に残っていることを書き出してみよう。

②友達との関係を象徴するようなエピソードを選ぶ

　書き出したトピックのなかから、友人関係、さらには自分自身の人柄までが伝わるようなエピソードを選べるとベスト。

③エピソードのどこを一番伝えたいかを考える

　自分にとっては思い出深い出来事でも、面接官にとっては初めて聞くことになる話。何を伝えたいのか、ポイントをしぼろう。

④自己紹介などと矛盾のないように注意する

　選んだエピソードから伝えられる自分の人柄が、それまでの質問の答えとズレのないように気をつけよう。

● 定番対策　2　面接官は「人間関係の築き方」を見る

・友達との間で、どのような人間関係が築けているか。

・具体的なエピソードが述べられているか。

・話の内容から、受験者の人柄が見えてくるか。

高校2年生のとき、一番仲のよかった友達が転校することになり、私の呼びかけで、教室で送別会を開くことにしました。友達は照れくさいからと、はじめは遠慮していたのですが、当日はすごく喜んでくれて、大泣きしていました。今でも、その友達とは連絡を取り合っています。

◆━━━━━━━━━━━━ ❰ワンポイントアドバイス❱ ━━━━━━━━━━━◆

　このエピソード一つだけで、友達やクラスの輪を大切にし、リーダーシップを発揮できる人物だということがわかる。送別会で具体的に何をしたのかを補足できると、受験者の人柄がよりくっきりと伝えられるだろう。

1年生のときから、最寄りの駅から学校まで、ずっと一緒に登校している友達がいます。毎朝、何か特別なことを話すわけでもないんですけれど、昨日あった嫌なこととかを話したり、悩んでることを冗談っぽく話したりするだけで、お互いに気持ちがすっきりしているような気がします。そういう時間をすごせる友達がいることは、とてもありがたいことだと思います。

◆━━━━━━━━━━━━ ❰ワンポイントアドバイス❱ ━━━━━━━━━━━◆

　高校生活の何気ないワンシーンではあっても、受験者本人と友人との間の、気がねのない雰囲気が伝わってくる。ただし、インパクトは薄いので、会話を通じて悩みを解決できたエピソードなどがあれば、もう一歩踏み込んで取り上げてみよう。

思い出に残っていることは、挙げればきりがありません。友達とすごした日々は全部大切な思い出ですし、一生忘れることのできないものです。

◆━━━━━━━━━━━━ ❰ワンポイントアドバイス❱ ━━━━━━━━━━━◆

　思い出が多すぎて、どれか一つにしぼれない、という答え方ではダメ。具体性に乏しい回答は、友達づきあいをうまくできてこなかったともとらえられてしまう。特別なエピソードを挙げなければいけないわけではないので、友達と一緒に楽しんだ行事・活動などから、しぼり込んでいこう。

問 最近、気になっているニュースについて話してください。

●ここに注意！●

新聞やテレビで大きく取り上げられる、誰もが知っているニュースが理想的。片隅で紹介されるような小さな出来事を、自慢げに話しても意味がない。ここでは、社会の動きをきちんと把握して、自分の身に置き換えて考えられているかが問われている。

○ 定番対策 1　ニュースに対する興味・関心を引き出す

①毎日必ずニュースにふれる時間をつくる

新聞を読むのでも、テレビを観るのでも構わない。まずは、定期的にニュースにふれる時間を設けるようにしよう。

②気になるニュースをピックアップする

日々のニュースを眺めるうちに、興味や関心のある分野がしぼれてくるはず。気になる記事をスクラップしたり、書き留めたりしよう。

③自分がどうしてそのニュースに興味をもっているのかを考える

気になる分野がしぼれたら、そのニュースのどこに自分が注目しているのかを考えてみよう。自己分析に近い作業だ。

④選んだニュースに対して、自分なりの意見を考える

注目ポイントが定まったら、そのニュースに対して自分がどのような考えを抱いているのか、言葉にしてまとめてみよう。

○ 定番対策 2　世の中を知ろうとする姿勢が見られる

・社会の動きを正確に把握しているか。

・どんな分野に興味や関心を抱いているか。

・単なる思いつきではなく、自分なりの意見をもっているか。

電力の供給とエネルギー政策についてです。原子力発電所の再稼働が徐々に進められている一方で、太陽光や風力などの再生可能エネルギーの重要性が高まっていることを、ニュースで知りました。どんなエネルギー資源を利用していくかは、地球環境や私たちの将来とも密接にかかわってきます。脱炭素社会という言葉も目にするようになりましたが、政府には長期的な視点で、これからもエネルギー政策を見直していってほしいと考えています。

------- ◀ ワンポイントアドバイス ▶ -------

自分が目にしたニュースをもとに、環境問題や将来像にまで話を広げられている。今後の日本社会のあり方を含めて、大きな視点からトピックを取り上げられているのがよい。

子どもへの虐待や無差別殺人など、殺伐とした事件がたびたび報道されていることです。社会が不安定になると、日々の生活にもゆとりがなく、誰かを傷つけたり、犯罪に走ってしまう人も少なくはないのではと感じています。私とそれほど年齢の変わらない人が犯罪を起こすケースもあり、すごく気になります。

------- ◀ ワンポイントアドバイス ▶ -------

高校生という立場から、社会に対する正直な実感を述べていて、納得はできる。ただし、「気になります」という感想で締めくくるのではなく、自分なりの考えも付け足しておけるとベター。また、現実を率直に語りすぎて、話が重くならないように注意しよう。

パワハラやセクハラなど、人としてのモラルを問われる事件が増えていることです。権力をかさに着て人を追い込むような行為は信じられないですし、これまでもそうしたことが当たり前のように横行してきたのでは、と疑問を抱いてしまいます。自分はこうはなってはいけないという、教訓として受け止めています。

------- ◀ ワンポイントアドバイス ▶ -------

取り上げるトピックそのものに問題はないが、こうした答え方では、批判的な言葉の印象ばかりが強く残ってしまう。意見を述べるときも、感情的になることなく、言葉を選んで答えるようにしよう。

問 あなたの長所は、どんな点ですか？

●ここに注意！●

自分の長所を語ろうとすると、その人の素顔や人間性が表れやすい。自慢話になってはいけないが、自信がなさそうに語るのも説得力に欠ける。話す内容と話し方・態度が一致していないと思われることもあるからだ。堂々と、素直な気持ちで話そう。

自分で決めたことは投げ出さない、意志の強いところです。小学校の頃からピアノを習っているのですが、教室の先生がとても厳しい人で、母は「やめちゃいなさい」と言っていました。でも、私は自分に負けるような気がして、高校受験のときにも1日も休まずに通い続け、その先生に「休んでもいいんだよ」と言われたほどでした。

────── ◆ ワンポイントアドバイス ◆ ──────

ピアノのエピソードが生きて、意志の強さがよく伝わってくる。

物事を冷静に見つめ、判断できることです。友人からよく相談をもちかけられるのも、その性格の表れではないかと思います。そのぶん、考えすぎるところもありますが。

────── ◆ ワンポイントアドバイス ◆ ──────

「考えすぎるところもある」とマイナス面に話をもっていくより、友人とのエピソードを具体的に入れるなどして、プラスの方向に話を発展させよう。

前向きで積極性があり、協調性や忍耐強さもあります。優しい性格や人情深いところも、私の長所だと思います。

────── ◆ ワンポイントアドバイス ◆ ──────

抽象的な言葉ばかりで、真実味がない。こうした答え方では「どんなところで積極性を発揮していますか？」など、さらに突っ込んだ質問をされてしまうので、テーマをしぼって答えるようにしよう。

問 あなたの短所は、どんな点ですか？

第3章

個人に関する質問

●ここに注意！●

「細やかな気遣い」⇔「几帳面で神経質」というように、短所は長所の裏返しとして考えられる場合が多い。面接でも、たいていは一緒に質問されるので、セットで頭に入れておこう。印象が悪くなるような言葉は避け、改善する意欲を見せられるとよい。

私は何かに夢中になると、ほかのことに気がまわらなくなるところがあります。たとえば、家でギターの練習に夢中になっていたら、いつの間にか夜の12時を過ぎていて、両親にしかられたことがありました。そういう自分の性格がわかってきたので、最近は注意するようにしています。

━━━━━━━ ◀ ワンポイントアドバイス ▶ ━━━━━━━

このような答え方なら、短所とはいえ、好きなことに打ち込むと集中力を発揮する、という長所にもとれる。「注意するようにしている」という一言からも、改善しようという前向きな姿勢が感じ取れる。

融通がきかないところです。頑固者といいますか、曲がったことが嫌いなので、学校の先生や友達とも意見が分かれると、徹底的に議論をすることがあります。

━━━━━━━ ◀ ワンポイントアドバイス ▶ ━━━━━━━

正直に答えるのはよいが、「融通がきかない」と言ってしまうのは考えもの。「やや柔軟性に欠けます」など、ソフトな言い回しにしよう。

自分では、短所はないと思っています。

━━━━━━━ ◀ ワンポイントアドバイス ▶ ━━━━━━━

短所は誰にでもあるもの。「ない」と言いきるのも立派だが、ここでは自分のことをどれだけ理解できているかが問われている。思いつくことがなければ、家族や友人に意見を聞いて、何かしらの答えを考えておこう。

あなたの性格について説明してください。

 　はい、誰とでも分け隔てなく接することのできる、明るい性格を
していると自分では思っています。いろいろな人と話をするのが
好きということもあり、初対面の人にも、まずは元気よく挨拶を
して、自分から話題を振るようにしています。

◀ ワンポイントアドバイス ▶

　明るい性格と、**元気のよい挨拶を大切にする姿勢**から、仕事に対しても
前向きに取り組んでくれるのでは、という期待感を抱かせてくれる。

 　好奇心が強く、何に対してもまずはやってみる、というチャレン
ジ精神をもっていることが、一番の特徴です。考えが足りずに失
敗して、あとで先生や両親に怒られることもあるのですが、前向
きな姿勢はこれからも大切にしていきたいと思っています。

◀ ワンポイントアドバイス ▶

　何事にも自分から取り組むという、**積極性は十分に感じられる**。ただし、
勢いまかせで突っ走っていくタイプ、というようにもとれるので、**自分な**
りに改善すべきポイントも述べておくようにしておこう。

 　自分のやり方、個性を大切にしているのが、私の特徴だと思いま
す。誰に何を言われても、自分のやり方を貫いて、問題を解決し
ようとするところがあります。

◀ ワンポイントアドバイス ▶

　意志力は感じさせるが、それ以上に、**自己中心的な人間ではないか**、と
いう印象のほうが強い。バランスを考慮に入れた回答を考えよう。

| 問 | まわりの人は、あなたのことをどう見ていると思いますか？ |

●ここに注意！●

これは意外に難しい質問。周囲がどう評価しているか、そしてそれを、本人がどう受け止めているかが問われている。よい面ばかりを強調するのは避けたいが、やはり、なるべく長所を述べるようにしたい。家族や友人、先生などに話を聞いてみよう。

回答例 ○

ふだんから何にでも進んで取り組むように心がけているので、積極的な性格に見られていると思います。以前、担任の先生からも「あなたは何事にも真っすぐに取り組むタイプだね」と言われて、そのようにとらえられているんだという思いを、強くしました。

------■ワンポイントアドバイス▶------

「積極的」という長所にとれる点を、担任の先生の言葉で補っているところがよい。謙遜しすぎず、嫌味にもならないようなバランスが大切だ。

回答例 △

私には、小学3年生の弟がいます。歳が離れているぶんとてもかわいいこともあり、今でもよく遊び相手をしています。ゲームをするときは、時々わざと弟に勝たせたりすることもあります。弟からは、いいお兄ちゃんと見られているようです。

------■ワンポイントアドバイス▶------

弟に対しての気遣いを感じさせるところは好印象。ただし、できれば自分と同年代以上の相手からどのように思われているのかを答えておきたい。

回答例 ✕

友達との待ち合わせのとき、ほんの2、3分なんですが、遅刻してしまうことがあります。そのため、時間にルーズだと思われているかもしれません。

------■ワンポイントアドバイス▶------

自分から「時間にルーズ」などと言っては絶対にダメ。こうした回答を選ぶ場合は、「忘れ物をしないようにと慎重になりすぎて」など、マイナス面をできるかぎりプラスの方向につなげられるように心がけよう。

問 あなたの趣味は何ですか？

●ここに注意！●

趣味の内容で採否が左右されることはまずないが、面接の場にふさわしくないものは避けよう。趣味は、その人の魅力につながるものでもあるので、「とくにありません」と答えるのもよくない。何かしらの答えを必ず準備しておこう。

 料理をすることです。最近、共働きの両親に代わって平日の夜には、私が食事を作ることも多くなりました。妹や弟がおいしいと言ってくれるので、時間のとれる土日に、アレンジした料理に挑戦しようかと考えています。

▶ ワンポイントアドバイス ◀

前半部分までは、趣味というより、家事の一部になっている印象を受ける。一方、後半部分では、料理への意欲の高まりとチャレンジ精神をアピールできているので、トータルで見れば理想的な回答になっている。

 平凡で申し訳ないのですが、映画鑑賞です。週に2本は家で見ていますし、映画館にも月に3、4回は通っています。私にとって映画は、生活の一部ともいえるものです。

▶ ワンポイントアドバイス ◀

「平凡で申し訳ない」という一言は要らない。どんなものでも立派な趣味なのだから、胸を張って答えよう。映画鑑賞の場合は、好きな作品やジャンル、監督や俳優名などもサッと答えられるようにしておきたい。

 あまり趣味と呼べるものはないのですが、友達からは、ボーッとするのが趣味みたいなものだよね、とよく言われています（笑）。

▶ ワンポイントアドバイス ◀

仮に場の雰囲気がなごやかだったとしても、面接の席でこうしたことを言ってはいけない。「ボーッとする」ことは趣味とは認められない。質問に対してきちんとした受け答えをすることが大前提だ。

問 特技・資格はありますか？

●ここに注意！●

資格は実用性のある・なしにかかわらず、もっているものはすべて答えよう。どうしてその資格を取得しようと思ったのか、理由も述べておくように。特技も、好ましいものであれば積極的にアピールしよう。それが仕事につながるものであればベストだ。

 はい、商業高校に通っていることもあり、秘書検定2級と、日商簿記検定の3級をもっています。今後は、高校卒業までに日商簿記検定の2級に合格することが目標で、それからパソコン技能に関する検定をどれか一つ受けてみたいと考えています。

------ ◆ワンポイントアドバイス◆ ------

合格している検定と、今後の目標が明確になっているのがよい。商業高校だからというわけではなく、自分の意志で上位の検定を受けようと考えていることを、アピールしておこう。

 実用英語技能検定の準2級をもっています。仕事の関係で、どれくらい役に立つかはわからないのですが、語学に興味があるので、社会人になってからも個人的に勉強を続けたいと思っています。

------ ◆ワンポイントアドバイス◆ ------

どんな仕事をしていても、これからの時代に語学力はどんどん必要になってくるもの。語学への興味はアピール材料として活用していこう。

 資格はとくにないのですが、カラオケが得意で、歌には自信があります。最近、アコースティックギターの弾き語りをはじめまして、もう少し上達したら、動画で発表しようと思っています。

------ ◆ワンポイントアドバイス◆ ------

歌がうまいかどうかはともかく、動画で発表するとなると、企業によっては否定的にとらえられることも考えられる。就職のための面接なのだから、こうした話題はなるべく取り上げないようにしよう。

問 将来的に、興味のある技術・資格はありますか?

●ここに注意!●

　この質問では、志望している企業の業務に関係のある技術・資格を答えるのが望ましい。ただし、よくわからないままに資格の名前だけを挙げるのは逆効果。今後の技術習得・資格取得に向けた意欲を示しておくのが無難だ。

はい、高校2年生のときに第二種電気工事士試験に合格したので、今年は第一種に挑戦したいと考えています。また、働きはじめてからも、スキルアップを図りながら、電気系保全作業の技能検定の受検をめざしたいと思います。

------ ワンポイントアドバイス ------

　入社後に必要とされる技術を想定して、在学中から着実に資格取得をめざしていることが感じられる。将来像も明確で、好感がもてる。

今はまだ、これといった資格を思い描いてはいません。ですが、もし仕事をしていくうえで役立つ資格があれば、積極的にチャレンジしていきたいと考えています。

------ ワンポイントアドバイス ------

　きっぱりとした答え方から、前向きに取り組もうとする姿勢は感じ取れる。将来的な資格取得に向けた、具体的な計画までは求められていないので、これくらいの答え方でも大きな問題はない。

アウトドア派の人間なので、スポーツにかかわるライセンス取得にチャレンジしたいです。まず、めざしたいのは、スキューバダイビングです。ハンググライダーもやってみたいと思っています。

------ ワンポイントアドバイス ------

　積極性とチャレンジ精神は伝わってくるが、余暇生活の充実を強調しすぎている。趣味に関する話題は控えて、仕事にかかわる技術や資格への興味を述べるようにしよう。

問 休みの日は、どんなふうにすごしていますか？

「何時に起きて、何々をして…」と細かく答える必要はない。その時々によってすごし方は変わってくるものなので、自分らしさが出るように答えればよい。ただし、当たりさわりのない内容にはとどめず、なるべく具体的なことを入れて話そう。

私は野球部に入っていましたので、休日も、その練習や試合に出ることが多かったです。3年生の夏で引退したのですが、今でも後輩の指導にはよく行っています。野球部の活動がないときは、ゆっくり読書をしたり、家の手伝いをしたり、友達と遊んだり、いろいろなすごし方をしています。

ワンポイントアドバイス

野球部を引退したあとも後輩の指導にかかわる様子、また、それ以外の日常的な活動の様子も伝わり、理想的な受け答えになっている。

できるだけ外に出るようにしていますが、先週の日曜日は町内の公園でゴミ拾いのボランティアに参加しました。校内で募集のあったボランティア体験で興味がわいて、今回は母の入っているボランティアグループに参加させてもらいました。

ワンポイントアドバイス

ふだんのすごし方ではなく、たった一度のことでも、有意義なものであれば、取り上げてみるのも選択肢の一つだ。自発的にボランティアに参加しているという姿勢も示すことができる。

たいていは友達から誘いがあるので、友達の家に行ってゲームをしたり、街なかをぶらぶらしたり、ということが多いです。

ワンポイントアドバイス

実際にそういうすごし方をしているとしても、何か目的のある行動などを入れ、それを前面に出すと、印象がよくなる。

第3章

個人に関する質問

101

問 おこづかいは何に使っていますか？

●ここに注意！●

　この質問に対する受け答えから、金銭感覚や、お金の使い方に対する計画性の有無が見られる。正直に答えるのが基本だが、問われないかぎりは、金額を細かく説明する必要はない。余計な発言は控えるようにしよう。

本や洋服代に使うことが多いです。それから、友達と遊びに行くときの交通費や飲食代にも使います。毎月少しずつですが、貯金もしていまして、何か欲しいものが出てきたときには、親に頼らず自分で買おうと思っています。

◆ワンポイントアドバイス▶

　高校生としてはお金の使いみちも無難で、何より、<u>いざというときのために貯金をしているところ</u>から、**堅実な性格**という印象をもたらせる。

自転車のツーリングが趣味なので、自転車用品や関連雑誌の購入に使うことが多いです。結構お金がかかってしまうので、月末にどうしても足りなくなってしまったときには、正直に親に言って、翌月分をいくらか出してもらっています。

◆ワンポイントアドバイス▶

　おこづかいを趣味の充実にあてるのはともかく、<u>後半部分は面接官に聞かれたら答えればよいこと</u>なので、自分からは言わないようにしよう。

これまでは月に１万円もらっていたんですが、ゲームでお金を使いすぎて、先月からかなり減らされてしまいました。ですが、友達とのつきあいがあるので、そのたびに頼めば、いくらか出してはもらえます。

◆ワンポイントアドバイス▶

　計画的にお金を使うという意識が感じられず、**印象が悪い**。使いすぎてしまったことへの反省を示すなど、<u>改善しようとする姿勢を見せたい</u>。

問　最近、興味があることについて話してください。

●ここに注意！●

この質問の場合、「とくにありません」は答えとして不適切。
必ず何かしら答えるべきで、できれば仕事に結びつく前向きな話
題が好ましい。内容はどんなものでもよいが、極端にマニアック
な話題を取り上げることは避けよう。

 パソコンの機能に興味があります。中学生の頃からインターネットで調べ物などをするためにパソコンを利用してきましたが、最近は、パソコンの機能やソフトそのものにも興味をもつようになりました。自分なりにパソコンの機能をアップさせたり、効率的なソフトの使い方を考えたりするのがおもしろくて、今度は、自分でパソコンの組み立てに取り組んでみたいと考えています。

◆ワンポイントアドバイス◆

興味が深まっていった様子が具体的に述べられており、パソコンの機能だけでなく、構造に対しても詳しいというアピールになっている。ただし、趣味ともかかわるこうした話題は、一歩間違えるとマニアックな話になりかねないので、ほどほどにとどめるように心がけよう。

 まだ雑誌やテレビで眺めているだけですが、スポーツクライミングに興味があって、近いうちに挑戦したいと思っています。私は高校では陸上部に入っていて、もともと自分の体力の限界に挑む、というスポーツが好きなことも理由の一つです。団体競技は、自分にはあまり向いていないと思っているので、個人でできるものから取り組んでいきたいです。

◆ワンポイントアドバイス◆

仕事の内容にもよるものの、職場というのは、ある程度の協調性が求められる場。スポーツに興味があるのはよいこととしても、自分から団体競技に向いていないと発言するのは、避けよう。

問 あなたは自分がどんな仕事に向いていると思いますか？

私は、相手が親しい人か初対面の人かにかかわらず、人と話をするのが好きなので、営業職や販売職に向いていると思います。また、負けず嫌いで、結果が出るまで意地でもがんばる、というところもありますので、その点でも合っているかもしれません。

------------------ ワンポイントアドバイス ------------------

自分の長所を把握して、具体的な職種に結びつけている点が評価できる。

人と協力して、何か一つのものをつくったり、成し遂げたりする仕事が、私には合っていると思います。なぜかというと、学校のクラブ活動や委員会活動のように、みんなで気持ちを一つにして、何かに向かって取り組んでいくということに、私はすごく心を動かされるからです。

------------------ ワンポイントアドバイス ------------------

具体的な職種を挙げなくても、本人の志向や性格が伝わるような内容であればよい。学校の活動に一生懸命なところもプラス材料になる。

私はどちらかというと、感性やアイデアで勝負するタイプですので、企画職などに向いていると思います。実は、幼い頃から絵を習っていまして、その方面の能力も生かせたらと思っています。

------------------ ワンポイントアドバイス ------------------

自分のことを「○○タイプ」と表現するのは好ましくない。絵を習っていたことも、会社の業務と直接かかわりがなければ、言わないほうがよい。

問 あなたは考え方の違う人と、うまくやっていけますか？

●ここに注意！●

これは協調性やコミュニケーション能力を見るための質問。組織のなかでは、人と協力し合って仕事をすることがとても大切になる。相手の性格や接し方によって左右されてしまう人も、努力をして理解し合おうとする姿勢をみせたい。

はい、誰とでもうまくつきあうというのは、簡単なことではないと思いますが、やっていく自信はあります。私の家では「相手がどんな人であっても、意見はしっかりと聞く」ということが徹底されていて、子どもの頃からよく言い聞かされてきました。話し合う姿勢をもてれば、考え方が違ってもやっていけると思います。

ワンポイントアドバイス

うまくやっていくことの難しさにふれつつ、人の考えを理解しようとする意欲が感じられる。人間的な幅の広さも伝えられる回答になっている。

どんな人であっても必ずよいところはあるものです。それを見つけることができれば、うまくやっていくことは可能だと思います。

ワンポイントアドバイス

人の長所を見ようとするプラス思考は、円滑に仕事を進めるうえでも重要なポイントだ。やや楽観的な印象も受けるので、よいところを見つけるためにはどんな姿勢で接していくべきかを、より具体的に話せるとよい。

もちろんです。考え方の違いにこだわってばかりいたら、進む仕事もスムーズに進まなくなると思います。もし、うまくやっていけないとしたら、仕事をする人間として、どこかに問題があるのではないでしょうか。

ワンポイントアドバイス

討論形式の面接ならともかく、面接官に対する受け答えとしては印象がよくない。断定的な口調は避け、言葉をやわらかくすることを心がけよう。

問 これだけは誰にも負けない、というものはありますか？

●ここに注意！●

答えの内容も大切だが、ここではそれ以上に、意気込みを伝えることが重要。自分の長所、特技、資格、クラブ活動の実績などをトータルに判断して、自信をもって発言しよう。意外性のある回答も、アピールになるなら取り上げるのも一つの考えだ。

はい、持久力や粘り強さには、ひと一倍自信があります。中学生のときから毎日欠かさず朝晩のランニングを重ねてきて、高校では、持久走のタイムが学年でトップ3に入ったこともあります。多少のことではへこたれない意志の強さは、誰にも負けません。

◀ ワンポイントアドバイス ▶

長年の積み重ねがあり、それに対する結果が数字に表れていることには、大きな説得力がある。こうしたスポーツの話題にかぎらず、コンクール入賞などの実績があったら、胸を張ってアピールしよう。

ちょっと恥ずかしいのですが、食べることです。「超大盛りメニューを全部食べたらタダ」という企画を出しているお店がたまにありますが、12軒の店でそれをクリアしました。お腹の丈夫さだったら、誰にも負けません。

◀ ワンポイントアドバイス ▶

くだけた話題だが、10軒以上を乗り越えた丈夫さは評価の対象になる。個性やチャレンジ精神も伝わってきて、悪い印象にはならないはずだ。

実は今、つきあっている彼女がいるんですが、彼女を思う気持ちは誰にも負けません。

◀ ワンポイントアドバイス ▶

面接官によっては、こうした回答も気に入ってもらえるかもしれない。しかし、個人的に好印象をもたらせても、採用の可否となると話は別。個人の恋愛に関する話題は、聞かれないかぎり言わないようにしよう。

問　健康・体力に自信がありますか？

●ここに注意！●

身体的条件で差別されることはないものの、基本的な体力や健康な体を維持しようとつとめることは、仕事を続けていくうえで大切なポイントになる。日頃からどのような意識で自分自身の体や心の状態と向き合えているかを伝えるようにしたい。

はい。私は小学生のときからずっとサッカーをやっていまして、体力には自信があります。また、疲れを感じたときや前向きに取り組めなかった時期も、友達や先生に相談して悩みを共有してきました。心身ともに健康であることを大切にしています。

ワンポイントアドバイス

ただスポーツを続けてきたことだけでなく、<u>調子がよくないと感じたときにまわりに相談することで解決を図ってきた姿勢</u>を伝えられている。

特別、体を鍛えてきたわけではありませんが、大きな病気にかかったことはこれまでありません。睡眠をしっかりとり、3食を食べる規則正しい生活を守り、健康にすごすことを心がけています。

ワンポイントアドバイス

規則正しい生活を送ってきていることで、<u>会社でも同様に勤務してくれるのでは、という印象をもたらせる</u>。無難な回答になっている。

身長は180cm以上、体重も80kg以上という体格ですから、体力には絶対の自信があります。格闘技を観るのが好きで、今はやめてしまったんですが、空手をやっていたこともあります。腕相撲ならそうそう負けません。

ワンポイントアドバイス

仕事に求められる体力とは、単に体格がよいことや、力持ちであることではない。空手をやっていたことは評価できるが、「やめてしまった」という言い方からは、<u>長続きしなかった印象が強いので注意したい</u>。

問 あなたの学校の校風、特色について話してください。

●ここに注意！●

校風や特色は、ふだんはあまり意識していないものなので、急に聞かれても答えが出てこない。校章の由来や、創立年なども含めて、覚えておくようにしたい。自分の学校のことも知らないと、働く会社の理念や方針も大切にできないととらえられてしまう。

 私の学校では、生徒の自主性を尊重し、自立した人間を育てることを教育目標としています。実際、学校生活のなかでも、校則が厳しいと感じることはなく、のびのびした雰囲気のある学校です。委員会活動などでも先生に頼りすぎることなく、生徒が中心になって運営していくのが伝統です。

━━━━━━━━━━ ▶ワンポイントアドバイス ◀ ━━━━━━━━━━

校内活動を例に挙げ、「自主性を尊重」する校風をうまく伝えている。受験者自身が学校に対して好感を抱いている感じが出ているのもよい。

 私の通う学校には、全国レベルの運動部がいくつかあり、スポーツがとても盛んです。文武両道を掲げていることもあって、進学校ではありませんが、勉強面にも力が入っています。

━━━━━━━━━━ ▶ワンポイントアドバイス ◀ ━━━━━━━━━━

「私も剣道部で稽古に励みつつ、帰宅してからは授業の復習に取り組んできました」「中間テスト前には学校中の雰囲気が変わります」といった具体的なエピソードをはさむと、文武両道という校風がより伝わるだろう。

 入学以来、校風がどんなものであるのかを、しっかりと教えられたことはありません。ですが、明るくて元気な生徒が多いというのは、私の通う学校の特徴として、断言できるところです。

━━━━━━━━━━ ▶ワンポイントアドバイス ◀ ━━━━━━━━━━

校風は教えられるものではなく、自分から感じ取っていくもの。明るく元気な生徒が多い、というところを中心に、回答を組み立て直そう。

問 あなたの学校の魅力は、どんなところですか？

●ここに注意！●

毎日通っている学校のことなので、何が魅力なのかをあらたまって答えるのは、意外と難しい。ただし、「ありません」「わかりません」は絶対にダメ。ニヤニヤしながら答えるのも、本気で答えていないと見られてしまうので、注意しよう。

はい、なんといっても、自然に恵まれていることが一番の魅力です。私の通う学校は高台にありまして、窓からの眺めがよく、周囲には緑が多いため、ちょっと大げさですが、地上から独立した別天地のようにも思えます。緑が豊かなことで空気もおいしく感じられ、季節ごとに木々が移ろう様子も楽しむことができます。勉強に集中できる、最高の環境だと思っています。

------ ワンポイントアドバイス ------

あまりに自分の通う学校を褒めすぎるのもよくないが、本当に気に入っているのだとすれば、多少大げさなぐらいの表現をしても構わない。むしろそのほうが、受験者本人の思いが伝わるだろう。

私が今通っている高校は女子校ですが、中学までの共学校とはまた違った雰囲気があります。たとえば委員会の活動や体育祭などで取り組むような力仕事も、女子生徒だけで分担し、運営までのすべてをこなすことになります。大変なところもありますが、女子だけということでのびのびとした雰囲気もあるのが、よいところだと思います。

------ ワンポイントアドバイス ------

最近は、男子校や女子校は減る傾向にあるものの、男女別学ならではのよさも、もちろんある。しかし、今一つその魅力を伝えきれていないところがあるので、「一人の女性として社会で働くための、総合的な力が身につく」など、アピールにつなげられるようにしたい。

●ここに注意！●

　日頃お世話になっている先生について、どのように思っている
のかを問う質問。悪く言わないのは当たり前として、思ってもい
ないことを言うと、突き詰めて聞かれたときに答えづらくなる。
好意をもっている先生のことを挙げるようにしよう。

　私の学校には、親身になってくれる先生がとても多いと思います。
たとえば今回の就職活動に関しても、担任の先生がすごく熱心な
方で、休み時間や放課後には、よく相談に乗ってくださいました。
活動をはじめる前はいろいろな不安があったのですが、先生のお
かげで自分に自信がもてるようになり、感謝しています。

━━━━━━━━ **◆ワンポイントアドバイス◆** ━━━━━━━━

　感謝の気持ちを素直に表すのは、社会人になってからも非常に大切な要
素。先生の親身な人柄も、十分に伝わってくる。

　英語の先生のなかに、アメリカ人の講師の方がいるのですが、誰
にでも話しかけてくれる明るい人柄で、みんなの人気者です。そ
の先生にかぎらず、元気に挨拶をしてくれる先生が多いのが、う
ちの学校の特徴だと思います。

━━━━━━━━ **◆ワンポイントアドバイス◆** ━━━━━━━━

　明るい雰囲気は伝わってくるが、アメリカ人講師のエピソードをふくら
ませられると、面接官にとってもイメージがわきやすくなるだろう。

　授業のおもしろい先生がたくさんいます。数学の斉藤先生、生物
の中川先生、日本史の藤山先生、美術の船木先生、それから去年
担任だった英語の穴吹先生も、すごくおもしろい先生でした。

━━━━━━━━ **◆ワンポイントアドバイス◆** ━━━━━━━━

　単に先生の名前を並べるのではなく、ポイントをしぼって、どのように
おもしろい先生だったかを伝えられるようにしよう。

問 印象に残っている出来事は何ですか？

●ここに注意！●

短くはない学校生活のなかで、誰にでも必ず印象に残っているものがあるはずだから、素直にそれを答えよう。できれば、「楽しかった」という一言で終わらせず、自分がどのようにその出来事と向き合ったのかを話すようにしたい。

はい、年に一度の文化祭です。集まって活動できた年もできなかった年も楽しんでもらえる企画を考えて、みんなで準備をしていく過程も含めて一生懸命に取り組めました。とくに仮装大会が先生や後輩にも好評で、がんばったかいがあり、この先もずっと忘れられない貴重な経験ができたと思います。

ワンポイントアドバイス

内容が具体的で、みんなで心を一つにして取り組んできたという、<u>一体感が伝わってくる</u>。このような成功したエピソードは、印象もとてもよい。

修学旅行です。以前と比べたら短い期間ではあっても、友達と少しでも長い時間、一緒に過ごせたことは一番の思い出になっています。観光名所を訪ねたことより、友達と話したことのほうが印象に残っています。

ワンポイントアドバイス

友達と長い時間を過ごせる修学旅行は、特別な行事の一つ。とはいえ、**修学旅行先で見聞きしたことや印象なども**、挙げられるようにしておこう。

校外学習で都心周辺に行ったことです。あまり学校の行事という感じがせず、自由に動き回れて楽しかったです。

ワンポイントアドバイス

「学校の行事という感じがしない」とまで言いきってしまうのは、避けよう。**勉強の一環であることを忘れず**、得たものは何かを答えるように。

問 印象に残っている授業はありますか？

　はい、あります。去年、学校で喫煙をした生徒がいたことが発覚したのですが、担任の先生がホームルームでそのことを取り上げました。先生は、そういうことをしてはいけないとか、自分の意見はいっさい口にせず、ただ事実だけを告げてから、私たちに議論をさせました。先生が一方的に考えを示したりしなかったことで、クラスメートの多くが熱心に参加し、真剣な討論を交わす場にすることができました。

━━━━━ ワンポイントアドバイス ━━━━━

　自分のことではなくても、面接の場で「喫煙」や「飲酒」について述べるのは望ましいこととはいえない。しかし、それを真剣に話し合ったことが印象に残っていて、<u>貴重な経験を積めたと受験者本人が思っていること</u>は、面接官にも伝わるだろう。

　はい。私は商業科に通っているため、国語や数学といった一般的な科目のほかに、「簿記」の授業があります。実際に働きはじめてから活用することになる科目ということもあり、他科目以上に先生方も熱心で、私自身も力を入れて学ぶことができています。

━━━━━ ワンポイントアドバイス ━━━━━

　「簿記」という実用的な科目を取り上げることで、教師も含めた授業への熱い姿勢が伝わってくるのは、とてもよい。「印象に残っている」という点では具体性に乏しいので、<u>熱心さを伝える授業の様子を、もう少ししっかりと説明できると</u>、なおよくなるだろう。

問 得意な科目は何ですか？

●ここに注意！●

学校生活に関する質問のなかでも、とくによく出されることの多い質問の一つ。単に科目名を述べるだけでなく、得意なものとして挙げた理由、得意科目にするため努力したことなども含めてみよう。得意な科目がなければ、好きな科目を挙げるのでもよい。

はい、世界史です。小学生の頃、テレビでエジプトの古代文明に関する番組を観て、興味をもったのがきっかけです。世界史は、勉強というより物語を読んでいる感覚に近くて、退屈しません。教科書以外にも自分で本を買ったり、インターネットで調べたりして、気になったことを深掘りするようにしています。

━━◀ ワンポイントアドバイス ▶━━

世界史に興味をもったきっかけと、なぜ好きかという理由が、きちんと述べられている。自主的に調べて知識を深めようとする姿勢も好印象。

得意な科目というわけではありませんが、国語の現代文が好きです。高校2年生のときに担当してくれた先生が、物語の解釈の仕方がとてもおもしろい人で、それから授業が楽しくなりました。成績は今一つですが、本を読む楽しみも覚えられました。

━━◀ ワンポイントアドバイス ▶━━

得意科目でなくても、楽しみを見いだすことで興味をもてるようになったことがわかる。こうしたエピソードも印象は悪くない。

音楽です。小さいときからピアノを習っていたこともあり、音楽はずっと得意科目でした。今は友達とバンドを組んで、キーボードを担当しています。

━━◀ ワンポイントアドバイス ▶━━

実技科目を挙げても、もちろん構わない。得意な科目がはっきりとしているのなら、積極的に発言するようにしよう。

問 不得意な科目は何ですか？

英語です。中学生のときの授業でつまずいてから、基本的な文法も理解できずにいましたが、高校生になってから初歩の問題集からやり直し、今では平均点以上の成績をとれるようになりました。実用英語技能検定の受験もめざしています。

------------- ◀ ワンポイントアドバイス ▶ -------------

不得意ではあっても、一からやり直すという努力を積み重ねて、苦手意識を克服してきたことが伝わってくる。意志の強さを表すエピソードだ。

昔から運動が苦手で、体育の成績だけは、5段階評価でどうしても2から上になったことがありません。でも、団体競技はみんなで盛り上がれるので、授業は楽しく受けることができています。

------------- ◀ ワンポイントアドバイス ▶ -------------

不得意な科目でも楽しめる要素があることを、上手に伝えられている。苦手さを前面に押し出すことはないので、「あまり高い評価を得られたことはありません」など、おさえた表現にとどめておこう。

どうしてもこれがダメ、という科目はありません。不得意な科目がないからこそ、学校からも自信をもってこちらの会社をすすめられたのだと思います。

------------- ◀ ワンポイントアドバイス ▶ -------------

とくに不得意な科目がなければ、そう答えるのでも構わない。ただし、こうした答え方は自信過剰な発言に聞こえ、おごりやすい人物ととらえられかねない。謙虚な受け答えを意識しよう。

問　成績はどうでしたか。勉強は一生懸命やりましたか？

●ここに注意！●

面接官は事前に送られてきた資料を通じて、受験者の成績をすでに把握している。ここでは成績の内容ではなく、答え方が見られると考えよう。勉強が苦手でも、前向きに取り組んでいることを伝えられれば、面接官にも好印象をもたらすことができる。

はい、成績は必ずしもよいほうとはいえませんが、自分のできるかぎりを尽くして、取り組んできたつもりです。高校生として大切なことは、まずはきっちりと勉強に励むことであり、その点では決して力を抜かずにすごしてきたと胸を張って言えます。

◆ ワンポイントアドバイス ◆

勉強が得意かどうか、成績がよいかどうかにかかわらず、誠実な姿勢で勉学に取り組んできたことは、十分に伝わってくる。面接官もそうしたところをしっかりと評価してくれるだろう。

勉強は大切ですが、私は高校に入学する前から就職という道を希望していました。そのため、大学受験にかかわるような科目にはそこまで力を入れず、そのかわりクラブ活動に熱心に取り組んでいました。

◆ ワンポイントアドバイス ◆

早くから自分の進路を定めていたというビジョンは理解できるが、はじめから勉強を捨てていたような言い方は、避けるようにしたい。

正直に言いまして、成績は悪かったです。でも、勉強は人間の良し悪しを決めるものではなく、それを判断材料にされるのでしたら、大学受験と同じような気がします。

◆ ワンポイントアドバイス ◆

面接官は、成績だけで判断しようとしているわけではない。感情的な答え方はつつしみ、自分がどのように勉強に取り組んできたかを伝えよう。

問　高校時代の出席状況はどうですか。欠席や遅刻の理由も教えてください。

●ここに注意！●

出席状況は、調査書の内容・理由と違わないように、担任の先生に確認しておくこと。欠席や遅刻が多い場合は、その正当な理由を説明できるチャンスととらえたい。欠席や遅刻の数を非難しているわけではないので、正直に答えることが大切だ。

はい、高校では遅刻、早退、欠席は一度もありません。卒業式まで、これを続けたいと思います。

------------------◀ ワンポイントアドバイス ▶------------------

欠席などが一度もなかった場合は、このように簡潔に答えよう。高校卒業まで続けるという意欲を示しているところもよい。

１年生の３学期に２週間、休んでいますが、冬休みにスキーで膝を骨折してしまい、入院していたからです。ケガの具合は決してよくはなかったのですが、幸い完治しまして、痛みも引きました。懲りずに今年はまたスキーに行って、ガンガン滑るつもりです。

------------------◀ ワンポイントアドバイス ▶------------------

長期の欠席に対する理由は、きちんと述べられている。最後は話が少し脱線してしまっているものの、多少のケガでも元気のよさを失わない前向きな性格が伝わってくるので、これでも問題はない。

正確には覚えていないのですが、欠席は確か、３回くらいだったと思います。遅刻は、５分など短いのでしたら、ときどきありましたが……。早退は確か……、していなかったと思います。

------------------◀ ワンポイントアドバイス ▶------------------

あいまいな答え方が多すぎて、回答としては不適切。面接官から、自分のこともしっかり把握できていないと思われても、仕方がない。仮に欠席状況などを確かめるのを忘れてしまったとしても、「調査書と違っているかもしれませんが」と断ってから、はきはきと答えるようにしよう。

| 問 | クラブ活動は何をしていましたか？　入部した理由は何ですか？ |

●ここに注意！●

クラブ活動は積極性、協調性、忍耐力、先輩・後輩との関係など、さまざまな能力を養える場。会社としても、長く続けてきた人は高く評価する。とはいえ、クラブ活動をやるかどうかは個人の判断なので、とくに何もしていなければ、素直にそう言おう。

私は演劇部に入っています。演劇に興味をもつようになったのは、演劇を観るのが好きな母に、小学生の頃から一緒に連れて行ってもらったり、テレビで舞台の番組を観たりしたことが大きかったと思います。中学生になってからは迷わず演劇部を選び、すっかりそのとりこになって、高校でも３年間続けてきました。

ーワンポイントアドバイスー

興味を抱いたきっかけ、入部までのいきさつが<u>簡潔にまとめられている</u>。

バレーボール部です。中学では卓球部でしたが、高校に入学して、最初にクラブ見学に行ったとき、卓球部の近くでバレーボール部が練習をしていたんです。ものすごいスパイクの音とか、必死にレシーブしようとする姿とかを見て、何となくかっこいいなと思って、入部を決めました。

ーワンポイントアドバイスー

バレーボールに魅力を感じた理由は伝わってくるが、「何となく」という言葉が回答全体を軽くしてしまっている。「ボールを追う一生懸命な姿に心をひかれて」など、<u>言葉の選び方を工夫しよう</u>。

はい、入学してすぐにサッカー部に入ったのですが、雰囲気が合わずに１か月でやめてしまい、それからはずっと帰宅部です。

ーワンポイントアドバイスー

「帰宅部」という言い方より、「クラブ活動は行っていませんでした」などと答えよう。サッカー部をやめた理由も、<u>もう少し明確にしたい</u>。

勉強やクラブ活動以外に、何か力を入れたことはありますか？

●ここに注意！●

　高校生の本分は、まずはきちんとした学校生活を送り、卒業すること。とくになければ、自信をもって、高校生としての生活の充実ぶりを伝えるようにしよう。力を入れたことがほかにもあれば、具体的に話せるとよい。

 はい、住んでいる地域の自治会活動に、いろいろとかかわってきました。両親が理髪店を経営していることもあり、自治会とのつながりが深いのも大きかったです。冬の防災活動などに、今はできる範囲で取り組んでいます。

━━━━━━━━━━ **ワンポイントアドバイス** ━━━━━━━━━━

　地域の人同士のつながりが薄くなっている現代。人間関係を形成するうえでも、こうした活動に自分から参加する姿勢は、評価されるだろう。

 バスケットボール部の活動で成果を出すことにこだわってきたので、それ以外のことに時間を使うのは無駄だというぐらいに考えてきました。結果的に、最後の県大会でベスト４まで進むことができたので、自分の意志を貫いてよかったと思っています。

━━━━━━━━━━ **ワンポイントアドバイス** ━━━━━━━━━━

　クラブ活動への情熱と、それにすべてを費やしてきたことは、伝わってくる。ただし、「無駄だというぐらいに考えてきました」と言いきってしまうと極端な性格ともとらえられてしまうので、答え方には気をつけよう。

 インターネットが趣味で、ネット上のいろいろな情報をまとめるサイトをつくりました。読んでくれる人の反応がおもしろいので、これからも続けていきたいと思っています。

━━━━━━━━━━ **ワンポイントアドバイス** ━━━━━━━━━━

　サイトの内容が有益なものならともかく、興味本位で情報をまとめているだけだとしたら、よい印象はもたれない。別の話題を取り上げよう。

問 アルバイトをしたことはありますか？

●ここに注意！●

　この質問で問われているのは、社会経験の有無。アルバイト経験がなくてももちろん構わないし、ある場合は健全なものが好ましい。学校によっては禁止されているので、必要に応じて事前に先生と相談しておくようにしよう。

はい、あります。スーパーで、おもにレジ係を担当していました。その頃どうしても欲しいものがあり、自分で働いたお金で買いたいと強く思いまして、それでアルバイトをはじめました。

━━━━ ◆ワンポイントアドバイス◆ ━━━━

　アルバイトの理由をしっかり説明できているところがよい。「欲しいものとは何だったのですか」という質問にも答えられるようにしておこう。

はい、高校2年生の夏休みに、ファミリーレストランのウェイターをしたことがあります。実は学校では禁止なのですが、自分で働いてお金を得るということを、一度体験してみたかったんです。店長は厳しい人でしたが、私自身、よい社会勉強にもなりました。

━━━━ ◆ワンポイントアドバイス◆ ━━━━

　社会勉強のため、ということも、高校生のアルバイトとしては十分な理由になる。学校で禁止されている場合は、このように「実は禁止なのですが」と一言入れること。

はい。実は父親が会社をリストラされ、それからお酒ばかり飲むようになって、まったく仕事をしなくなりました。共働きだった母の収入だけでは生活が苦しいので、私もバイトをして、少しでも家計を支えられればと考えながらやっています。

━━━━ ◆ワンポイントアドバイス◆ ━━━━

　事情はともかく、父親の生活態度まで詳しくさらすのはマイナス。また、「バイト」という略語ではなく「アルバイト」と必ず言おう。

●ここに注意！●

楽しかったこと、うれしかったこと、感動したことなどを、自分の長所につなげて答えられると、高校生活の充実ぶりを伝えることができる。苦しかったこと、悲しかったことなどを取り上げる場合は、それを乗り越えたエピソードにまとめたい。

はい、２年生のとき、校内の弁論大会で優勝したことです。どちらかと言えば内気な性格で、話すのは苦手なほうだったのですが、自分を変えるチャンスだと思い、思いきってクラスの代表に立候補しました。優勝したことが大きな自信になって、今では人と話すことが好きなくらいになりました。

ワンポイントアドバイス

苦手意識を克服するために一念発起して、成功をつかんだ格好のエピソード。弁論大会で何をテーマにしたのかも、併せて紹介しておこう。

休日を生かして、一人で行けるところまで自転車でツーリングをしたことです。少なくない出会いがあって、たった一日でも冒険をしたような気持ちになれました。

ワンポイントアドバイス

学校外のことでも、こうしたチャレンジ精神のあるテーマなら印象は悪くない。ツーリングをした理由、目的も説明できるようにしたい。

校舎のプレハブ棟が火事で焼けてしまったことが、一番印象に残っています。幸い、夜だったのでケガ人は出ませんでしたが、放火ではないかとニュースにもなりました。学校中が重い雰囲気に包まれましたが、みんなが元気に振る舞おうとしていました。

ワンポイントアドバイス

確かに印象深い出来事ではあるが、せっかく「一番の思い出」を聞かれているのだから、自分をアピールできる話を選ぼう。

問 学校生活のなかで、何かつらかったことはありますか？

●ここに注意！●

ここでは、単につらかった経験を述べて終わらせるのではなく、それをどう乗り越えたかが伝わるようなエピソードを選びたい。内容にかかわらず、面接の場が暗く、重くならないよう、はきはきと話すことを心がけよう。

 私はハンドボール部に所属していたのですが、2年生のとき、練習中に膝の靭帯を切ってしまい、クラブをやめなければならなくなりました。日常生活に支障はないのですが、今でも思いきり走ると少し痛みがあります。ただ、それをきっかけにギターをはじめて、音楽の楽しさを知ることができ、バンドの仲間たちに出会えたことはよかったです。

━━━━ ワンポイントアドバイス ━━━━

ケガによる挫折体験を、重い話に終わらせていないところがよい。**前向きに新しいやりがいを探そうとする、精神的な強さ**が感じられる。

 一番仲のよかった友達が転校してしまったことです。スマートフォンでやりとりしたりすることはありますが、それまでと比べたら縁が薄くなってしまった気がして、寂しい気持ちがあります。

━━━━ ワンポイントアドバイス ━━━━

寂しいという気持ちだけでなく、「今度、会いに行こうと思っています」「手紙で気持ちを伝えたいと思います」など、**自発的な行動を加えたい。**

 つきあっていた人にふられたことです。遊びじゃなく本気でつきあってたので、思い出すだけでも泣きたくなります。でも、つらい気持ちを乗り越えて、また好きな人を見つけたいと思います。

━━━━ ワンポイントアドバイス ━━━━

失恋は、誰にとってもつらい経験で、共感もできる。ただし、**面接の場にふさわしいエピソードとはいえない。**

学校での勉強を、これからどう生かせると思いますか？

 はい、国語や数学などの教科で勉強したことが、直接、仕事に役立つかどうかは、まだわかりません。ですが、学校で学んできたことは、すべて社会人になるための基礎になるものだと思います。何かの形で仕事につながっていくと考え、自分に自信をもって社会に出ていきたいと思っています。

――――――――――――▶ ワンポイントアドバイス ◀――――――――

漠然としたところもあるが、社会人になるにあたっての意気込みは示せている。勉強してきたことが基礎になるという発言も、的確だ。

 学校ではいろいろなことを学びましたが、集団のなかでのすごし方も、その一つだと思います。組織で働いていくには、個性も大切ですが、やはり多くの人と連携して、相互に理解し合う姿勢が必要だと思うからです。

――――――――――――▶ ワンポイントアドバイス ◀――――――――

集団や組織のなかで自分が置かれている状況を、客観的に判断している点は評価できる。ただ、大人びた発言を意識しすぎて、借りてきたような言葉も見られるので、自分らしさを出せるようにしよう。

 学校の成績は平凡でしたので、仕事にはあまり生かせないかもしれません。ですが、働きはじめたら、ひと一倍がんばりたいです。

――――――――――――▶ ワンポイントアドバイス ◀――――――――

「あまり生かせない」という一言が、質問に対する答えとして望ましくない。仕事への意欲を中心に回答を組み立てよう。

問 **この業界を選んだ理由は何ですか？**

●ここに注意！●

この質問では、職種・業種を含めてしっかりと見極めたうえで、自分が働く業界や企業を選べているかどうかが、問われてくる。あまり背伸びをした答え方をすることはないが、ただ「すすめられたから」などの漠然とした回答にならないようにしよう。

 私は現在、商業科に在籍しています。ここで学んできたことを生かせる業界、そして仕事は何かを考えたとき、自然と志望先はしぼられていきました。業界としての安定感があり、仕事に集中できる環境が整っていると感じて、こちらの業界を選びました。

------- ▶ワンポイントアドバイス◀ -------

仕事に取り組みやすい環境で働きたいという考えが、明確に表れている。やりたい仕事の中身に多少ふれておいてもよい。

 まず、いくつかの業界をピックアップしまして、そこで自分がどんな仕事ができるだろうかと考えました。それぞれの業界ごとに気になる会社があって、最後の最後まで悩んだのですが、この業界はこれからも伸びる、という話を聞いて、決めました。

------- ▶ワンポイントアドバイス◀ -------

考えた末の結論だということは、伝わってくる。ただし、「ほかにも気になる業界や会社があった」ということが、回答全体の中心になりすぎないように気をつけたい。

 はい、製造業以外の選択肢ははじめから考えられませんでしたので、迷わずこちらを選びました。

------- ▶ワンポイントアドバイス◀ -------

選んだ理由がはっきりせず、考え抜いたという様子が感じられない。なぜ、それ以外の選択肢が思い浮かばなかったのか、その理由を突き詰めて考えてみよう。

第3章

職場または働くことに関する質問

123

●ここに注意！●

進学ではなく就職という道を選んだ理由は、人それぞれ。志望理由と重なる部分もあるが、できるかぎり働く意欲をアピールしておきたい。あまり深刻な話題にはならないよう、自分の意志で就職を決めたという流れを意識しよう。

はい、私が高校の入学試験で機械科を選んだのは、その道で将来働いていきたいという希望があったからです。遠回りをすることなく、すぐにでも社会に出て自分の力を試してみたいという思いもあり、就職することを決めました。

▶ **ワンポイントアドバイス** ◀

高校生になる前から将来の見通しを立てていたことは、高く評価されるはず。仕事への意欲も十分にアピールできている。

家庭の事情もあり、進学よりも働いてお金を稼ぐことが、自分のためにも家族のためにもなると思い、就職することを決めました。もちろん、私自身、こうした職種で働いてみたいという気持ちがあったことは確かです。

▶ **ワンポイントアドバイス** ◀

重い話題も、こうした答え方でさらりとまとめるようにしたい。一方で、自分自身の就職への希望を、「もちろん」と追加するように述べるのではなく、最初に取り上げるようにしよう。

はい、大学に進学したとしても、とくにやりたいこともなく、時間を無駄にするだけだと思ったからです。早く自分でお金を稼げるようになって、自活できるようになりたいと考えています。

▶ **ワンポイントアドバイス** ◀

仮にそう思っていたとしても、進学そのものを否定するような発言は避けよう。社会に出て働く人間として恥ずかしくない言葉を選びたい。

問 他社にはない当社の魅力は何だと思いますか？

●ここに注意！●

面接官は、「なぜ他社ではなく当社を選んだのか？」と聞いている。ただし、具体的な企業名を挙げて比較するのは避けたほうがよい。それよりも、志望理由と重なっても構わないので、その企業のどこに魅力を感じているのかを強調しよう。

はい、進路指導の先生から話をうかがったり、御社の会社案内、ホームページなどを拝見して、設立5年目の新しい会社であり、若い人の意見を広く取り入れる雰囲気があると知ったからです。社員一人ひとりに、平等にチャンスを与えるという社風にも、とても魅力を感じています。

------- ▶ ワンポイントアドバイス ◀ -------

地道な下調べから志望する企業の社風を理解し、そこに魅力を感じたことがよくわかる。社風への共感は、企業の社員に求められる大切な要素だ。

御社が、中心である介護事業のほかに、保育やレストラン事業をはじめ、経営を多角化しているところに魅力を感じます。私自身もさまざまな仕事にかかわれるのではないかと、期待しています。

------- ▶ ワンポイントアドバイス ◀ -------

企業の事業拡大と、自分の希望とが合致していることが伝わってくる。とくにどのような仕事に魅力を感じているか、自分自身の具体的な希望や展望も伝えられると、なおよい。

同業のA社やB社と比べましても、御社のほうが伝統も知名度もあり、安定しているからです。業界をリードする企業で働きたいという気持ちがあります。

------- ▶ ワンポイントアドバイス ◀ -------

具体的に企業名を出すと、その企業への非難につながることもあるので、避けよう。志望する企業だからといって、褒めちぎるのもよくない。

問 当社の業務内容を知っていますか？

 はい、知っています。食品・飲料や雑貨などをヨーロッパから輸入して、スーパーマーケットなどに卸している会社です。最近では、車イスや介護用ベッドといった介護用品も扱っていると聞いています。

――――――ワンポイントアドバイス――――――

ここまで答えられれば、回答としては十分。従来取り扱ってきた製品と、最近になって取り扱いはじめた製品の両方を、具体的に挙げられているところがよい。しっかり志望先のことを調べてきたことが伝わるはずだ。

 はい、御社のおもな業務内容は、企業や病院など大きな建物で使われている、空調設備のメンテナンスや保守管理です。具体的にどのような仕事をしているのかは、直接見たことがないのでわかりません。

――――――ワンポイントアドバイス――――――

業務内容は、概要だけでも理解しておくようにしたい。後半部分は、「仕事のイメージはわきますか」などと聞かれてから答えるようにしよう。

 申し訳ありません。先生にすすめられて志望したこともあり、実はあまりよく知りません。

――――――ワンポイントアドバイス――――――

面接では、どうしてもわからない質問の場合は、無理にごまかそうとせず、はっきり「わかりません」と答えるようにしよう。ただし、志望する企業の業務内容も知らないというのは問題外。必ず調べておこう。

| 問 | **当社の製品や商品を知っていますか？** |

●ここに注意！●

この質問でも、事前の準備が大切。会社案内などの資料で調べて、しっかり頭に入れておこう。広告などで名前の知られている製品・商品を見つけられれば理想的だ。ふだんの生活とかかわるものであれば、そうしたエピソードを取り上げてもよい。

はい、ふりかけの○○○○を知っています。テレビのコマーシャルでも歌と一緒によく流れているので、子どもの頃からなじみ深い商品として、強く印象に残っています。

◆ワンポイントアドバイス◆

　誰もが知っているだろう有名な商品であれば、**名前をしっかり覚えておく必要がある**。「それを使った（食べた）ことがありますか？」と聞かれることもあるので、**身近な商品の場合は一度、試しておこう**。

はい、知っています。偶然なのですが、私の家で使っている空気清浄機が御社の製品です。2年ほど前に購入してから、リビングの空気がすっきりとして快適になったと、家族のなかでも評判になっています。

◆ワンポイントアドバイス◆

　志望先の製品・商品を家で使っていれば、そのことを話そう。それが必ずしも採用に直結するわけではないが、**面接官も悪い気はせず、話も弾む**はずだ。

はい、もちろんです。実は今、はいている靴下も御社のものです。御社を受けると決めてからは、私だけでなく、私の家族全員が、毎日、御社の靴下をはくようにしています。

◆ワンポイントアドバイス◆

　そこまでしなくても、という印象も受けるが、**それだけこの企業に入りたいという気持ちが強い**ことは、面接官も感じ取ってくれるだろう。

問 この会社までは、どうやって通いますか？

●ここに注意！●

　この質問は、採用後に無理なく通えるかどうかを確認するためのものなので、極端に遠かったり、ルートが不便であったりしなければ問題はない。利用する交通手段、所要時間を確認して、スムーズに答えられるようにしておこう。

 はい、地下鉄の○○線と□□線を利用して通います。自宅が○○線の△△駅から徒歩10分のところにあるので、家から会社まではトータルで50分くらいで着きます。

------- ◀ ワンポイントアドバイス ▶ -------

　自宅から最寄り駅までの所要時間、使用する路線、会社までのトータルの所要時間を、これぐらい**簡潔に答えられるようにしておこう**。

 自宅からこちらの会社の近くまで路線バスが走っていますので、そのバスを利用して通います。ですが、もし車で通勤しても問題ないようでしたら、将来的には車で出社したいとも考えています。

------- ◀ ワンポイントアドバイス ▶ -------

　希望があるのなら、「車で通いたい」と言って断っておくのも問題はない。ただし、**聞かれなくても所要時間は必ず答えておこう**。

 まず○○線で△△駅まで出まして、□□線に乗り換えて、それから……。名前は忘れましたが、地下鉄に乗り換えて、それでこの会社のすぐそばの▽▽駅で降りて……。そうですね、今日は迷いながらだったので1時間半かかりましたが、もう少し早く来られると思います。

------- ◀ ワンポイントアドバイス ▶ -------

　ルートの確認があいまいすぎて、**下調べや注意力が足りない**ととらえられてしまう。**路線名や駅名は、きちんと覚えておこう**。

問 採用が決まったら、入社までに何をしますか?

●ここに注意!●

　入社までに特別な準備はいらないが、するべきことが大きく分けて2つある。一つは、高校をきちんと卒業すること。もう一つは、社会人になるために、あらゆる意味で自分を磨くこと。働くうえでの心構えが問われていると考えよう。

 勉強も遊びも、どちらも一生懸命やって、残りの高校生活を満喫したいと思います。それから、規則正しい生活を心がけて、入社してからも存分に力を発揮できるように、よいリズムをつくっておきたいです。

━━━━◀ ワンポイントアドバイス ▶━━━━

　社会人になることを意識しすぎて、固い受け答えをすることはない。具体的に何をやるというわけではなくても、前向きな姿勢を伝えられれば、十分なアピールになるだろう。

 まず、本をたくさん読みたいと思います。それと、これから社会人になるにあたって、何か一つ、はっきり趣味といえるような新しいことをはじめたいです。

━━━━◀ ワンポイントアドバイス ▶━━━━

　こうした回答には、「新しいこととは、たとえば何ですか?」とさらに聞かれることが予想されるので、その質問への答えも考えておこう。

 入社までに何をするかは、採用が決まってから考えるべきことだと思います。今は、ご採用いただけるよう全力を尽くすだけです。

━━━━◀ ワンポイントアドバイス ▶━━━━

　非常に強い意志の感じられる答え方だが、聞かれたことにはきちんと答えられるようにしたい。むしろ全力を尽くして、入社までに何をするかを考えよう。

問 希望する職種はありますか？

●ここに注意！●

　この質問に答えるためには、その企業の仕事内容を、あらかじめ把握しておく必要がある。まったく関係のない職種を答えたりしたら、まず採用はない。また、仕事に対する意欲を見ようとしているので、「とくにありません」という答えも好ましくない。

はい、あります。私は、経理の仕事を希望します。高校で簿記やパソコンの勉強をしてきたのも、この仕事をしたいと思ってきたからです。また、私には几帳面なところがあり、堅実なタイプといわれることが多いので、向いていると思います。

━━━━━━━━━━━━◆ ワンポイントアドバイス ◆━━━━━━━━━━━━

　はっきりとした希望とその根拠が、きちんと述べられている。自覚している性格と、まわりの評価を添えられているところもよい。簿記の資格などをもっていれば、アピール材料として活用したい。

はい。私はさまざまな人と出会ったり、話をしたりするのが好きなので、営業や販売の仕事をしてみたいと思っています。

━━━━━━━━━━━━◆ ワンポイントアドバイス ◆━━━━━━━━━━━━

　営業や販売など、人と接する仕事を希望する人は、答えの内容だけでなく、相手に好感をもたれるような話し方を心がけよう。背筋を伸ばし、笑顔ではきはきと答えられると、好印象をもたらせる。

今はまだ、とくに希望する職種はありません。もちろん、自分に向いている仕事に就かせていただければと思いますが、実際に働くなかで、自分に合う仕事かどうかは、わかってくるものだと思います。

━━━━━━━━━━━━◆ ワンポイントアドバイス ◆━━━━━━━━━━━━

　希望職種がないというのは、消極的な印象を与える。この場合は、「何となく」でも構わないので、やってみたいと思う仕事を挙げておこう。

問 希望と違う職種になった場合、どうしますか？

●ここに注意！●

やりたい職種があるからその企業を選んだのか、その企業に入りたくて志望したのか、どちらなのかが問われてくる質問。何を優先するにしても、しっかりした考えをもっていることが大切だ。あまり難しく考えず、誠実に答えるようにしよう。

私の一番の希望は、御社に入社することです。そのうえで、できれば希望の職種に就きたいと思いますが、たとえそうでない職種になったとしても、一生懸命がんばります。

ワンポイントアドバイス

入社の志望がはっきりしているのは、とてもよい。また、「どんな仕事でも構わない」というわけではなく、「できれば希望の職種に就きたい」と、職種についても志望があることを示している点も評価されるはずだ。

仮に、技術職ではなく事務職になったとしても、与えられた仕事に真面目に取り組みます。本当は現場に出て、技術を学んでいきたいのですが、組織の一員として働くことになるので、必ずしも希望どおりにならないことは納得できます。

ワンポイントアドバイス

やや消極的な印象も受けるが、職場という組織をきちんと理解しているところは伝わるだろう。

経理以外の職種になってしまったら、ちょっと困ってしまうかもしれません。そのために、これまでずっと勉強して、資格も取ってきたからです。絶対に経理に選んでほしいと思います。

ワンポイントアドバイス

努力してきたこともあり、職種にこだわりをもつのはわかる。それでも、採用してもらう立場として、自分の意向ばかりを優先しようとする姿勢は歓迎されない。柔軟な受け答えを心がけよう。

問 「働く」とは、どういうことだと思いますか？

●ここに注意！●

自分の思うことを素直に答えるのが基本だが、「お金を稼ぐこと」があまりにも前面に出るのは避けたい。仕事を通して自分が成長したり、勤務先や社会の役に立つということが大切なので、そうした部分を強調しよう。

はい、人が働くのは、さまざまな意味で豊かになるため、だと思います。経済的な豊かさだけでなく、その人自身が人間的に成長することや、社会に貢献することも、含まれていると思います。

-------------◆ ワンポイントアドバイス ◆-------------

教科書的な答えではあるが、このような回答をすぐに言うことができれば、面接の受け答えとしては十分だ。

社会人になれば、自分が働いたぶんだけの給料をもらって、それによって生活をしていくことになります。ですが、自分のためだけではなく、世の中が発展していくためにも、みんなが働くことが必要なのだと思います。

-------------◆ ワンポイントアドバイス ◆-------------

働くことが「自分の生活のため」というのは、もっともな回答。「世の中の発展のためにも必要」と付け加えることで、前半部分も生きてくる。

「働く」ということは、生きていくためにお金を稼ぐことだと思います。社会的に成功すれば、名声を得ることもできます。そうした意味では、「働く」とは、成功への階段を上っていくことともいえるのではないでしょうか。私もバリバリ働いて、成功を収めたいと思っています。

-------------◆ ワンポイントアドバイス ◆-------------

夢を抱くのは、決して悪いことではない。しかし、面接の場でお金や名声にこだわる姿勢を見せるのは、イメージがよくないので注意しよう。

問 学校と職場の違いは、どんなところだと思いますか？

●ここに注意！●

高校時代までとは異なり、職業生活に入ると、自分で考えて行動する場面が確実に増えてくる。働くということの責任の重さも、そこで初めて経験することになる。仕事をすることへの意識の高さが見られる。

 はい、学校では、多少わがままや甘えがあっても、先生は許してくれますが、社会に出てからも同じようなことをしていたら、一人前の社会人として認められないと思います。職場では自立した個人として、責任をもつことが必要だと考えています。

-------- ワンポイントアドバイス --------

学校と職場の違いを的確にとらえている。もう一歩踏み込んで、甘えが許される場面、許されない場面はどんなところか、具体的に考えてみよう。

 社会に出て働くために、学校でさまざまなことを学んでいるのだと思います。学校で友達をつくったり、勉強やクラブ活動をしたりすることも、社会で働く準備になっている気がします。そう考えると、職場とは、人生という舞台の本番のように思います。

-------- ワンポイントアドバイス --------

質問に対する答えとしてはややズレているが、ユニークで個性が感じられる。「人生という舞台の本番」というくらいのことを言ってみるのも、面接官の印象に残るかもしれない。

 学校ではどうしても子ども扱いされてしまいますが、職業をもって社会人になれば、大人として見てもらえます。学校の授業を受けるよりも、一日でも早く仕事がしたいです。

-------- ワンポイントアドバイス --------

「学校なんてどうでもいい」という雰囲気が漂っているのは、マイナス。学校で学んできたことが仕事の土台になるという方向に話をもっていこう。

●ここに注意！●

　習ったことが直接、仕事の役に立つかどうかは別にして、この質問に対して「役に立たないと思います」と言うのは、答えになっていない。どんな学校生活を送ってきたとしても、必ず仕事に生きるものがあるはず。自分なりにその答えを考えてみよう。

　はい、役立つと思います。授業で勉強したことが、そのまま仕事に使えるわけではないですが、広く物事を考えるための力にはなっていくと思います。それから、私はサッカー部に入っていましたので、そこで身につけた粘り強さや協調性を、仕事のなかで発揮していきたいです。

▶**ワンポイントアドバイス**◀

　学校で学べることは、何も学業だけとは限らない。<u>クラブ活動や文化祭などの行事も、学校生活の大切な要素</u>。そこで得た積極性や忍耐力、協調性などは、仕事をするうえで大きく役に立つはずだ。

　私は商業科の授業で、簿記や情報処理、財務会計などの科目を学んできました。学んだことを生かせる職種に就ければ、必ず役に立つと思います。

▶**ワンポイントアドバイス**◀

　学んだ科目と仕事につながりがあるので、<u>納得のいく答えになっている</u>。商業科独自の科目以外に習ったことがどう役立つかも、考えておこう。

　それほど役に立たないのでは、と思います。高校に通うことを決めたのも、就職や進学のため、という理由が一番にあったからです。もちろん、勉強することは大切なことだと思いますが。

▶**ワンポイントアドバイス**◀

　はじめから否定的な方向に話をもっていくのは、望ましくない。<u>勉強することそのものが大切なこと</u>、という視点から、回答を練り直そう。

問 職場では、どんな人間関係を築きたいですか？

●ここに注意！●

たとえ個人で行う仕事が多い企業でも、組織において、人間関係をどう形成するかはとても大切。前向きに考えられない人は、企業で働くことに適さないのではと判断されてしまう。大きな理想を掲げるぐらいのつもりで答えるようにしよう。

学校でもそうですが、仕事をするときには、とくに協調性が大事だと思います。職場の同僚とは、お互いのよいところを認め合い、尊敬し合える関係を築きたいです。

------ ワンポイントアドバイス ------

協調性は、職場が求める重要な要素の一つ。その点を理解していることは、面接官からも評価されるだろう。

仕事のときは緊張感を大事にして、厳しさをもって働き、仕事を離れた場所ではなごやかな雰囲気でつきあえる、そんな人間関係を築くことが理想です。

------ ワンポイントアドバイス ------

親しくつきあいながらも、仕事のときは馴れ合いにならないことが大事。もちろん、仕事をしている間も、時には柔軟な姿勢を見せたほうがよい場合もある。厳しさとなごやかさの両方を、使い分けられるようにしよう。

私は人と競争する環境では、自分の力を発揮できないタイプだと思っています。そのため、なるべく職場の人とは一定の距離を保っていたいです。人間関係の調整は上司にお任せして、自分の仕事に集中したいと思います。

------ ワンポイントアドバイス ------

人とのつきあい方は人それぞれだが、「上司にお任せします」という消極的な姿勢はよくない。少なくとも面接の場では、「職場の人とはよい距離感を保ちながら、自分の仕事に集中したい」という程度にとどめよう。

問 上司がどんな人でも、うまくやっていけますか？

●ここに注意！●

　上司は選べるものではないので、自分と性格が合わないことも
あるだろう。職場では、それでもその人の下で働かなければいけ
ない。うまくやっていけるかどうかを答えるよりも、どうつきあ
っていけるかを考えてみよう。

はい、よい関係が築けるように、がんばりたいです。意見が食い
違うときもあるとは思いますが、上司の言葉は、まず素直に聞く
べきです。そのうえで自分が正しいと思ったら、きちんと意見を
述べるつもりです。相手を尊重する気持ちがあれば、うまくやっ
ていけると思います。

◆ ワンポイントアドバイス ◆

　上司は部下より経験が豊富なのだから、まずその意見を聞く姿勢が大切。
ただし、必ずしも上司の言うことが正しいとはかぎらない。部下は上司の
言いなりになるのではなく、時には自己主張することも必要だ。

上司の人柄によっては、がんばってもうまくいかないことがある
かもしれません。ですが、根気強く接していくことで、少しでも
理解し合えるように努力をしていきたいと思います。

◆ ワンポイントアドバイス ◆

　悲観的ともとられる発言が最初に出てしまっているが、相手を知る努力
をしようという根気強さは感じられる。

私は、自分の信念を大切にして生きています。もし上司がそれと
対立する人でしたら、距離を置いて仕事をするしかないときも、
出てくるのではないかと思います。

◆ ワンポイントアドバイス ◆

　面接官からは、「その信念とは何ですか？」と聞かれる可能性が高い。
たとえその信念が正しいものだとしても、印象のよい答え方とはいえない。

問 仕事と家庭、どちらが大切だと思いますか？

●ここに注意！●

最近は「仕事よりも家庭を大切にする」という人が少なくないため、「仕事」と答えるほうが採用に有利というわけではない。どちらを選ぶにしても、自分なりの考え方や理由をしっかりもっているかが問われてくる。

まだ実際に仕事をしていないですし、結婚してからの生活も想像できませんので、こうだと断言するのは難しいです。ただ、今の気持ちから率直に考えますと、就職に向けて気持ちが盛り上がっている時期ですので、仕事を大切にしたいと思います。

-------- ◆ ワンポイントアドバイス ◆ --------

この質問は、いってみれば「意地悪な質問」に含まれるもの。答えの中身よりも、どのような受け答えをするかを、面接官は見ている。素直な思いが表れている回答は、好感がもててよい。

はい、私は家庭を大切にしたいです。なぜかというと、まず自分の家庭をきちんとすることが、すべての基本だと思うからです。そうすれば、余計なことに悩んだりすることなく、仕事にも打ち込むことができると考えます。

-------- ◆ ワンポイントアドバイス ◆ --------

家庭を大切にしたいという、その理由はきちんと述べられている。ただし、「余計なことに悩んだり」という一言は、省いたほうがいいだろう。

どちらとも言えません。仕事ばかりで家庭に目を向けないのはよくないですし、いくら家庭を大切にしても、仕事を中途半端にするのもどうかと思います。両方のバランスが大事だと思います。

-------- ◆ ワンポイントアドバイス ◆ --------

どちらが大切かは決められないにしても、「どちらとも言えません」ではなく、「どちらも大切にしたいです」と前向きな言い方にしよう。

第3章

職場または働くことに関する質問

問 テレワークやフレックスタイム制について、どう思いますか？

●ここに注意！●

テレワークとは、情報通信技術を生かした時間・場所にとらわれない働き方。フレックスタイム制とは、仕事の始業・終業時刻を働く人が自由に決められる制度。メリットとデメリットをふまえて自分なりに考えをまとめておこう。

時間や場所にとらわれず、自分でどのように働くかを考えられるというのは、とても魅力的に感じます。職場で決められているほうが、本当は楽なのかもしれませんが、一人ひとりに決める権利があるというのも、大切なことだと思います。

-------------- ●ワンポイントアドバイス● --------------

個人の裁量に任される部分が大きい点が、それぞれの制度の特徴の一つ。働く人にとってのメリットを、しっかりと理解できている。

私は低血圧で朝に弱いため、出社時刻をずらすことができて毎日出社しなくても問題がなければ、ラッシュを避けることができますし、ぜひそうしたいです。もっと時差通勤なども取り入れる職場が増えれば、ラッシュアワーを解消できるのではと思います。

-------------- ●ワンポイントアドバイス● --------------

「朝に弱い」と自分から欠点を言うのは、なるべく避けよう。テレワークやフレックスタイム制がラッシュアワーを緩和する効果があることを、よく理解している点は評価できる。

私はテレワークやフレックスタイム制に反対です。職場とはたくさんの人がいて成り立つものなので、同じ時間に同じ場所へ社員がそろっていたほうが、一体感という意味でもよいと思います。

-------------- ●ワンポイントアドバイス● --------------

間違ったことを言っているわけではないが、断定的な言い方から、思い込みが強いタイプともとられかねない。制度のメリットも考えてみよう。

問　残業について、あなたの考え方を話してください。

●ここに注意！●

　残業についての考え方と一緒に、「必要に応じて残業ができるか？」という、仕事への姿勢を見ようとする質問。仕事に対する前向きな姿勢を感じさせるような回答が理想的だが、単に残業を歓迎するだけの発言も考えもの。無理のない働き方が大切だ。

はい、必要なときには、自分の判断で残業をしたいと思います。私は高校では野球部に入っていまして、練習が終わってからも、よく残って自主練習をしていました。人がいなくなったグラウンドで素振りをするのが、日課のようになっていたんです。

■ワンポイントアドバイス■

　自主練習の話は余談ではあるものの、<u>根気強く物事に取り組む姿勢が表れている</u>。黙々と仕事に励む姿が想像できるので、印象もよい。

仕事が予定どおりに終わらない場合は、残業が必要になると思います。私も入社することができたら、もちろんがんばるつもりです。ただ、働いたぶんの給料はきちんと支払われるべきだと考えていますので、そこについてはきちんとしていただきたいです。

■ワンポイントアドバイス■

　どんな仕事を選んだとしても、残業があることは否定できない。取り組む意欲は伝わってくるが、<u>給料についての話題は踏み込みすぎとも受け取られかねない</u>ので、<u>言葉の選び方には注意しよう</u>。

残業をしなければいけない、という雰囲気が職場にあるとすれば、それは嫌だなと思います。自分の時間を大切にしたいですし、そのバランスをとることも、社会人として大事なことだと考えます。

■ワンポイントアドバイス■

　仕事と余暇のバランスは、もちろん大事。ただし、<u>自分の時間を優先したいという主旨の発言は、控えるようにしよう</u>。

問 転勤は可能ですか？

はい、可能です。むしろ、若いうちはいろいろなところでの暮らしを経験したいと思っていますので、転勤には喜んで応じたいくらいです。

◆ ワンポイントアドバイス ◆

企業としても、気のすすまない社員に転勤してもらうより、このように快く転勤に応じてもらえると安心できるもの。ただし、<u>軽い気持ちで発言</u>するようなことだけは、しないように。

はい、転勤できます。希望としては本社勤務ですが、行けと言われれば、北から南まで、また海外にでも飛んで行きます。

◆ ワンポイントアドバイス ◆

本社勤務という希望を述べつつ、<u>辞令が下りれば転勤する</u>、という意志は示している。このような答え方でも、大きな問題はない。

いえ、なるべく地元を離れたくありません。今は母と2人で暮らしていますので、転勤で寂しい思いをさせたくないですし、できるかぎり母の近くで暮らしていきたいという思いがあります。

◆ ワンポイントアドバイス ◆

母親想いの人物であることは伝わってくる。しかし、転勤の多い企業の場合、「転勤はしたくない」「できない」という答えは、かなりのマイナスになる。もし本当に何らかの理由で転勤が不可能だとすれば、<u>応募する段階でそうした企業を候補から外しておく</u>ようにしよう。

問 つらい仕事があっても、耐えていけますか？

●ここに注意！●

これは、少し意地悪ともとれる質問。耐えられるか、耐えられないかを答えるのではなく、困難な状況に直面したときに、どう乗り越えていくかが問われてくる。高校生活で経験してきたことを思い出しながら、答え方を考えよう。

実際に働いたことがあるわけではないので、耐えられるかどうかは、まだわかりません。ですが、これまでの人生のなかでも、受験勉強や、クラブ活動の厳しい練習などを、最後までやり抜くんだという思いでがんばってきました。その気持ちを胸に、どんな仕事にもチャレンジしていきたいと思います。

ワンポイントアドバイス

高校生としての実感と、これまで自分が直面してきた難題が、わかりやすく並べられている。気持ちの強さは、面接官にも十分伝わるだろう。

私には、悩んだときに相談に乗ってくれる友人がたくさんいます。仕事に就いても、困ったときは職場の上司や同僚に相談して、一人で抱え込まずに乗り越えられるようにしていきたいです。

ワンポイントアドバイス

仕事一つとっても、そこにはさまざまな人がかかわっている。一人で取り組んでいると考えるのではなく、苦しいときはまわりの人たちに相談するのも、大切なことだ。

つらいと思ったら、投げ出す勇気も必要なのではないかと思います。自分には荷が重い仕事を安請け合いするのはよくないですし、その見極めがしっかりとできるようになりたいです。

ワンポイントアドバイス

できる仕事とできない仕事を見極める力は、確かに必要。しかし、「投げ出す勇気」という言葉からは、仕事への真摯<ruby>（しんし）</ruby>な姿勢が感じ取れない。

問 当社以外に受験する予定はありますか？

●ここに注意！●

高校生の就職は大学生と違い、当初から複数の企業にを応募できる都道府県はごく一部。とはいえ第一志望に落ちた場合に備えて、他企業の受験を考えている人もいるだろう。無理に隠すよりは正直に答えるほうがよい。あいまいな答え方だけは避けよう。

 回答例

いえ、ありません。御社が第一志望で、ほかの会社は、今のところ考えていません。

ワンポイントアドバイス

本当にほかの企業を考えていなければ、<u>このようにきっぱりと答えればよい</u>。迷いのない受け答えは、面接官にとっても好印象になるはず。

 回答例

はい、あります。第一志望は御社ですが、もし不採用だった場合には、そちらを受けるつもりです。

ワンポイントアドバイス

試験の結果によって、ほかの企業を受ける意志がある場合は、正直に答えておこう。その際、<u>第一志望が今受けている企業であることを、必ず言うようにしよう</u>。

 回答例

実は来週、C社の試験を受ける予定です。そちらと御社と、どちらにも魅力を感じていまして、一つにしぼるのが難しかったものですから、いちおう両方とも受けてみて、それから考えようと思っています。

ワンポイントアドバイス

これでは正直に答えすぎている。もし他企業を受ける予定があっても、そちらの話はさらりとふれるだけにして、<u>この企業に入りたいという思いを前面に出そう</u>。

問 社会人になる抱負を言ってください。

●ここに注意！●

　社会人として働いていくうえでは、責任感、協調性、行動力、計画性などのほか、前向きな姿勢や規則正しい生活を守る、といったことが求められる。こうした要素をふまえ、あいまいな答え方ではなく、強い決意を示すつもりで言いきるようにしよう。

回答例 ○

　社会人になるというのは、本当の意味で一人前になることでもあると思います。これまでのように、困ったことは両親や先生に任せればいい、というのではなく、自分に責任をもって行動して、社会や会社を担う一員として貢献できるようになりたいです。

ワンポイントアドバイス

　社会人になるとはどういうことなのかを、よく理解していることが伝わってくる。責任感の漂う受け答えから、頼もしさも感じられる。

回答例 ○

　まわりから尊敬される人間になる、ということを目標にして、一日一日を大切にすごし、大きな仕事を成し遂げられるようにがんばります。どんなときでも、挑戦する気持ちをもって行動したいと思います。

ワンポイントアドバイス

　一つひとつの言葉から、強い意欲が感じられる。抱負なのだから、言いすぎと思うくらいのほうが、ちょうどよいと考えよう。

回答例 △

　はい、仕事とプライベートのメリハリをつけて、両方とも充実させていけるような社会人になりたいと思っています。

ワンポイントアドバイス

　社会人とはいっても、仕事ばかりがすべてではない。プライベートの時間を充実させることで、仕事にも生き生きと取り組むことができることを、高校生のうちから理解しておくのも大切なことだ。

第3章

職場または働くことに関する質問

143

問 友達は多いほうですか？

●ここに注意！●

　この質問では、受験者が人との関係をうまく築けているかどうかが、問われている。何人以上だと「多い」で、何人以下だと「少ない」という基準はないが、自分から「少ないほうです」と答えるのは避けよう。

はい、特別多いというわけではないと思いますが、私のまわりには信頼できる友達がたくさんいます。ただ仲がいいというだけではなく、ダメなものはダメとはっきりアドバイスしてくれる人もいて、自分はすごく恵まれているなあと感じています。

------- ▶ ワンポイントアドバイス ◀ -------

　友達が多いか少ないかという質問から、「信頼できる友達が多い」という話題へとうまく展開している。交友場面の雰囲気も伝わってくるので、好感がもてる。

はい、多いほうだと思います。いつもクラブ活動の仲間と和気あいあいとしていることが多いです。

------- ▶ ワンポイントアドバイス ◀ -------

　素直に「多いです」と言えることも、大切な要素。楽しげにしている様子以外にも、友達との関係や親密さを表すエピソードを加えてみよう。

私は人づきあいが得意なほうではないので、どちらかといえば友達は多くはないと思います。自分の適性も考慮に入れまして、人と接することをそれほど求められない技術職に就きたいと、考えてきました。御社を志望したのも、そうした理由によります。

------- ▶ ワンポイントアドバイス ◀ -------

　たとえ個人で働くことの多い技術職でも、人との関係をきちんと築く姿勢は必要。「人づきあいが得意ではない」と言いきってしまうのは、かなりのマイナスポイントになるので、絶対に言わないようにしよう。

問 あなたの友達には、どんなタイプが多いですか？

●ここに注意！●

友達の性格や趣味の傾向から、受験者の人柄を見極めようとする質問。友達の長所をうまく引き出しながら、それを自分自身のアピールにもつなげられるようにしたい。友達の性格を表すエピソードがないかを考えてみよう。

はい、私の友達には、何事にも前向きに取り組もうとする人が多いです。それに加えて、勉強のことにしても、就職のことにしても、自分のことだけでなく、みんなで励まし合ってがんばろうという雰囲気も感じられます。私も、友達を支えられるような存在でありたいです。

━━━ ● ワンポイントアドバイス ● ━━━

友達同士の一体感、団結力が伝わってくる。友人たちのなかで自分がどのように振る舞いたいか、そのことへの決意も感じられてよい。

とにかく明るい人が多いです。みんなを楽しませようという意識をもっている人が多いので、いつも笑いが絶えないです。この前も下校途中についはしゃぎすぎて、先生も怒るどころか、苦笑いしていたぐらいでした。

━━━ ● ワンポイントアドバイス ● ━━━

飾らない話し方で、受験者自身が明るい性格であることもよくわかる。楽しい雰囲気は伝わってくるが、羽目を外しすぎるという印象を与えないように、注意しよう。

はい、個性的な人が多いと思います。それに、おもしろい人も多いと思います。

━━━ ● ワンポイントアドバイス ● ━━━

こうした答え方では、友達の姿が想像できない。どういった点が個性的なのか、どこがおもしろいと感じるのかを、もっと突き詰めてみよう。

145

問 親友と呼べる人はいますか？

●ここに注意！●

　自分から「親友」と呼ぶのは抵抗がある場合は、「悩みがあるときに相談できる友達」というぐらいに考えること。いつも一緒に行動していても、時間をつぶすために集まっているだけなら、面接の場で「親友」と呼ぶのは避けるようにしよう。

　はい、います。クラスは別なのですが、同じクラブ活動をずっと続けてきた友達で、引退した今でも一緒に帰ったり、休みの日にもよく連絡を取り合っています。就職のこともそうですし、勉強のこととか恋愛のこととか、何でも相談し合える関係です。

■◀ ワンポイントアドバイス ▶

　就職のことや恋愛のことなど、「何でも相談し合える」というのがポイント。この質問では、どれだけ心を開いて人とつきあえているかが問われていると考えよう。

　親友と呼べるのかはわかりませんが、もう10年以上つきあっている友達はいます。いちいち説明しなくてもわかり合えるところがあって、パートナーというか、悪友といいますか、今さら親友というのも恥ずかしい相手です。

■◀ ワンポイントアドバイス ▶

　仲のよい友達がいても、その人を「親友」だと考えたことがない人は、案外多いもの。しかし、面接の場では胸を張って「親友」と言おう。

　はい、笹木と上村と尾田の3人が、親友だと思います。とくに笹木とは仲がよくて、よく一緒に遊んでいます。尾田とは小学校、上村とは中学校のときからのつきあいです。

■◀ ワンポイントアドバイス ▶

　いきなり面接官の知らない人物の名前を出して話すのは、自分勝手な姿勢の表れ。その友達がどんな人なのか、自分との関係について答えよう。

問 友達とは、どういうつきあい方をしていますか？

●ここに注意！●

ふだん友達と何をしているかを、一つひとつ話しても意味がない。クラブ活動や学校行事、趣味など、友達とすごした有意義な活動があったら、それを話そう。面接官は、友達とのつきあい方から、人間関係の形成の仕方を見ようとしている。

高校に入学してからずっと、チアリーディング部に入っていたので、その仲間たちとのつきあいが中心でした。日曜日も練習のあることが多くて、それが終わって学校から駅まで向かうときに、みんなでおしゃべりをするのが楽しみでした。練習が厳しかっただけに、まとまりはすごくよかったです。

■ワンポイントアドバイス■

友達と一緒に、生き生きとしたクラブ活動を送ってきたことが想像できる。厳しい練習のあとの、ほっと一息つく瞬間も、しっかり伝わってくる。

高校2年生の夏休みに、友達と3人でテレビのクイズ番組に応募しました。残念ながら予選で落ちてしまったのですが、あのときの経験はいい思い出です。担任の先生もクラスのみんなも応援してくれて、友達っていいなあとあらためて思いました。

■ワンポイントアドバイス■

学校外のユニークな体験談は、面接官の印象に残る。内容が健全なものであれば、積極的に取り上げよう。

友達と一緒にいても、これといって、とくに何かするわけではないです。学校帰りにちょっと話したり、買い物したり、時間が空いたときに連絡取り合ったりとかです。

■ワンポイントアドバイス■

高校生らしいといえばそうだが、日常的なことを話すだけではアピールにならない。「こんなこともあった」と何かエピソードがないか考えよう。

問 ふだん、友達とはどんな話をしますか？

　私はスポーツを観るのが好きなので、同じ趣味をもつ友達と、よくサッカーの話をします。スペインのリーガ・エスパニョーラやイングランドのプレミアリーグの話題がとくに多くて、お互いに語りはじめたら止まらなくなって、何時間でも話せてしまうぐらいです。

-------- ●ワンポイントアドバイス● --------

　趣味への情熱や、友達との親密さが伝わってくる。マニアックにならない程度に、もう少し話を広げてみてもいいだろう。

　はい、好きな音楽やテレビドラマのことです。最近、仲のよい友達と編み物をはじめたので、その話題も多いです。簿記検定のことや、就職のこともよく話題になります。

-------- ●ワンポイントアドバイス● --------

　ふだん友達とどんなことを話しているかはよく伝わってくるが、表面的な内容にとどまっている印象も受ける。話題は多くても2つまでにしぼって、エピソードをもっとふくらませよう。

　どんな化粧品を使っているかが、よく話題になります。とくに休日に友達と出かけるときとか写真で見せ合うときは、みんなしっかりメイクをしていて参考になるし、盛り上がることも多いです。

-------- ●ワンポイントアドバイス● --------

　面接の場でメイクの話をするのは、望ましいこととはいえない。ファッションの話題を選ぶなど、別の回答を考えよう。

問 先輩や後輩とは、どういうつきあい方をしていますか？

●ここに注意！●

学校と職場で大きく異なるところは、いろいろな年齢層の人がいて、先輩・後輩関係を複雑につくりあげているということ。クラブ活動など、学校でどのようなつきあい方をしてきたかによって、上司や部下と良好な関係を築けるかが判断される。

高校入学以来、私は軽音楽部に所属しています。そこでは同級生だけでなく、先輩や後輩とも分け隔てなく、楽しくすごしています。運動系のクラブと比べると、先輩・後輩の意識はあまりないのかもしれません。ですが、先輩のことはもちろん尊敬していますし、後輩に対しては指導的な立場で接するときもあります。

------- ワンポイントアドバイス -------

文化系のクラブは比較的、上下関係がなく、和気あいあいと活動している場合が多い。それでも、「なあなあ」のつきあいではなく、きちんとけじめのある関係を築けているかがポイント。運動系のクラブにしても、やはり馴れ合いになっていないことが大切だ。

私の学校には、1年生から3年生までを縦割りにしたチーム同士で競い合う体育祭があります。私はそこで1年生のときから応援団をつとめました。先輩たちが熱心に教えてくださり、同期も含めてより深いつながりが生まれた気がします。尊敬できる人がたくさんできたので、私も後輩からそう思われるように接したいと考えております。

------- ワンポイントアドバイス -------

クラブに入っていなくても、委員会活動や何かしらのイベントで、先輩や後輩と接する機会があるはず。そうした場での経験を話すようにしよう。なお、「〜しております」など、体育会系を感じさせる言葉づかいは、なるべくしないこと。

問 人とのつきあい方で大事にしていることがあれば話してください。

●ここに注意！●

これも、まわりの人とよい人間関係が築けるかどうかを見るための質問。これから社会で働く人間として、不適切な発言は採否を左右しかねないので、慎重に言葉を選ぶようにしよう。誠実で友好的な面を印象づける回答にしたい。

はい、私が一番大事にしているのは、約束を守ることです。誰が相手でも、どんな小さなことでも、一度交わした約束は必ず守るように心がけています。それが、信頼関係を築くための第一歩だと思うからです。

ワンポイントアドバイス

約束を守ることは当たり前のようで、なかなか貫けないことが多いもの。身近なところできちんと努力をしていることが、伝わってくる。

どんなときでも、なるべく相手の立場になって考えるということを、大切にしています。そして、常に心がけたいと思っているのは、人のいやがることはしない、ということです。

ワンポイントアドバイス

あまり積極性は感じられないものの、こうした答え方なら、円満な解決を図ろうとする性格は伝わる。トラブルメーカーになるタイプではなさそうで、マイナス評価にはならないはずだ。

つきあい方は、その人によって変わってきます。逆に言いますと、相手によって接し方を変えることが、私にとっての人づきあいの仕方、ということかもしれません。

ワンポイントアドバイス

相手によって接し方を変える必要があることも、ないわけではない。ただし、このような言い回しはどこか冷たく、不誠実な印象も与えてしまう。自分から相手に歩み寄るような、前向きな回答を考えよう。

問 友達との間で、何か困った経験はありますか？

はい、あります。高校2年生のとき、仲のよい友達とケンカをしたことです。同じクラブ活動をしていたので、一緒に練習はしていたのですが、1週間以上、口をきかずにすごしていました。お互い、意地を張っていたような気がします。あるとき、私がポロッと「ごめん」と言ったら、向こうも謝ってきて、2人で泣きながら謝り合っちゃいました。

------------ ◀ ワンポイントアドバイス ▶ ------------

　最後はほのぼのとした締めくくりになっていて、好感がもてる。何がケンカの原因だったのかを具体的に話すと、もっと伝わりやすくなるだろう。

いえ、とくに思い当たることはありません。友達とは大きなトラブルもなく、和気あいあいとすごすことができています。

------------ ◀ ワンポイントアドバイス ▶ ------------

　具体的に答えるのが望ましいものの、思いつくことがなければ「ありません」ときっぱり言おう。中途半端な答え方だけは避けること。

はい。友達の一人が、あるとき急に学校に来なくなって、引きこもり状態になってしまったことです。何度か連絡をしてみたのですが、今でも原因がよくわかりません。

------------ ◀ ワンポイントアドバイス ▶ ------------

　解決していない問題は、取り上げるべきではない。連絡に対して何らかのレスポンスがあり、それが解決につながったというエピソードであれば、その経緯をしっかりと話すようにしよう。

問 友達との間で、SNSをどのように利用していますか？

●ここに注意！●

高校生が携帯電話・スマートフォンをもつことが、当たり前になった現代。SNS（ソーシャル・ネットワーキング・サービス）を使って友達とやりとりをする人も多いだろう。身近なサービスを通じて、友達とどのようなつきあい方をしているかが見られる。

はい、便利な機能が備わっていることで、気軽に友達と連絡を取り合えますが、ときどき、それだけでは自分の気持ちがしっかり伝えられていないと感じることがあります。そのときはすぐに電話をかけたり、会いに行ったりして、直接話すことを大切にしています。

◆ワンポイントアドバイス◆

SNSの一番の利点は、つながりやすいということ。しかし、文字や記号のやりとりだけでは、伝えきれない気持ちもある。コミュニケーションの基本は直接話すことだというのを、忘れないようにしよう。

はい、友達やクラスメートのほとんどが利用しているので、私も誘われて使うようになりました。それがきっかけで、あまり親しくなかった人とも仲良くなれたのは、よかったと思います。

◆ワンポイントアドバイス◆

あまり深く考えずに利用しはじめた、という印象も受けるが、交友関係を広げるのに役立ったということは伝わってくる。

友達と一緒にSNSに動画とか画像をアップして、盛り上がることがよくあります。炎上しそうになったこともあるんですが、ふだんできないこともできる気がするのもおもしろいです。

◆ワンポイントアドバイス◆

SNSには、利用者それぞれのモラルや節度が求められてくる。実生活に影響が出てしまうようなことは、避けるようにしたい。

問 学校の友達と職場の同僚は、同じだと思いますか？

●ここに注意！●

このような質問には、とくに正解があるわけではないので、「同じです」「違います」と言いきるのは、かえっておかしい。共通するところは何か、異なるところは何かをそれぞれ考えて、自分なりの言葉で回答をまとめてみよう。

 学校では勉強、職場では仕事と、取り組むことに違いはありますが、同じ場所で仲間と一緒に過ごすという意味では、変わらないと思います。ただ、学校では、気の合う友達とだけつきあっていても許されますが、職場では、どんな人とも協力し合うことが必要だと思います。

------- ◆ワンポイントアドバイス◆ -------

企業が利益を上げるためには、社員一人ひとりの協力が何より大切。それを理解していることは、十分なアピールになるだろう。

 まったく同じとは思いません。ですが、職場の同僚でも、仕事が終わってプライベートのつきあいになれば、学校の友達のように、はしゃいだりできるのではないかと思います。

------- ◆ワンポイントアドバイス◆ -------

仕事に対して厳しい姿勢を保つために、同僚とプライベートではつきあわない、という考え方の人もいる。しかし、親睦を深めるためにも、また、仕事のストレスを緩和するためにも、同僚とのつきあいは大事なものだ。

 いえ、違うと思います。職場の同僚とは、仕事を介して接するものなので、競争意識や対抗心がどうしても芽生えてしまうものだと思います。友達のように接することは、私には難しいです。

------- ◆ワンポイントアドバイス◆ -------

適度な競争意識は、会社を活性化するためにも大切なこと。しかし、あまりに割りきった考え方は、職場の雰囲気にも悪影響を及ぼしてしまう。

問 新聞は、どういう欄を読みますか？

●ここに注意！●

メディアのあり方は大きく変わっているが、新聞は今もなお、時事問題を的確にまとめた一番の材料といえる。家で新聞をとっていなければ、就職試験に向けて購読を頼んでみてもいいだろう。毎日、目を通すことで、社会の動きも見えてくる。

はい、スポーツ欄とテレビ欄、社会面は欠かさず読んでいます。とくに社会面を読むことで、世の中の流れが少しずつ見えてきた気がしています。また、18歳以上に選挙権があり、成年年齢も迎えたことで、最近は政治面にも目を通すようにしています。

●───── ワンポイントアドバイス ─────●

　スポーツ欄・テレビ欄・社会面は、それほど難しい言葉も出てこないので読みやすい。社会面を通じて、世の中の動きへの理解が深まっている様子も、好感がもてる。また、政治面についても、選挙権があることなどを意識した発言ができていることはプラスといえる。

はい、本が好きなこともあり、書評欄には必ず目を通すようにしています。そのほかには、社説や署名入りのコラムをよく読みます。独自の視点が入っていて、勉強になるからです。

●───── ワンポイントアドバイス ─────●

　新聞には、こうした批評や、独自の視点からニュースに切り込む記事もある。新聞記事から学ぼうとする姿勢をもつことは、評価されるだろう。

社会面や家庭欄をよく読みます。女性の視点から見た社会や仕事のあり方にかかわる記事は、必ずチェックしています。あと、夕刊によく載っている、有名人のインタビューが結構好きです。

●───── ワンポイントアドバイス ─────●

　気になるテーマをチェックしている視点は伝わってくる。ただし「有名人のインタビュー」など、言葉の選び方には気をつけよう。

| 問 | 環境問題について、あなたの意見を聞かせてください。 |

●ここに注意！●

環境問題は、21世紀の人類が抱える大きな課題。単に面接試験の対策としてだけでなく、地球に暮らすものの責任として、すすんで関心をもつようにしたい。もちろん、今の立場に合った答え方ができれば十分だ。

地球温暖化が問題になっていますが、各家庭でもCO_2削減のためにできることから取り組む必要があると思います。私の家では、冷暖房の温度設定や、電気のつけっぱなしに気をつけています。リビングの電気をいちいち消すのも、はじめは面倒に感じましたが、習慣化するとできるようになることに気づけました。

・・・・・・・・・・・・・・ ワンポイントアドバイス ・・・・・・・・・・・・・・

地球温暖化は、環境問題のなかでももっとも深刻なものの一つ。**身近なところから問題をとらえ、習慣化できるようになっていったプロセス**が、しっかりと伝わってくる。

私の家では、母の呼びかけで、節水やゴミの分別を徹底して、環境にやさしい生活を心がけています。一人ひとりが暮らし方を少し変えるだけで、環境に与える影響もだいぶ変わると思います。

・・・・・・・・・・・・・・ ワンポイントアドバイス ・・・・・・・・・・・・・・

環境問題は、豊かな生活と引き換えにもたらされたもの。**一人ひとりが環境に負荷をかけない生活を心がけることが大切**だ。

はい、自然を破壊し続ける人間の身勝手さ、愚かさを、腹立たしく感じています。人間以外の生物はすべて、その被害者です。人類は、豊かになりすぎてしまった気がします。

・・・・・・・・・・・・・・ ワンポイントアドバイス ・・・・・・・・・・・・・・

感情的すぎたり極端なネガティブ発言をしたりすると、**悲観的な人物ととらえられてしまう**。未来を担う若者として、前向きな発言を心がけよう。

問 少子高齢化問題について、どのように思いますか？

●ここに注意！●

急速な少子高齢化が進行している日本では、他人事ではすまされない問題。これからの社会を担う立場ということを心がけて、無責任ととられる発言をしないように注意しよう。少子高齢化が進むなかで、自分に何ができるかということも考えてみたい。

とくに少子化の問題に注目しています。今は両親が共働きをしていても、子育てに必要なお金をやりくりするのが大変だと聞きます。安心して子育てができるような環境づくりや、制度の見直しが進められていくことを期待しています。

◆ワンポイントアドバイス▶

この回答例のように、<u>現状を的確に理解したうえで、自分の意見を答えること</u>ができれば理想的。必ずしも無理に解決策を提示する必要はない。

日本はすでに超高齢社会となっています。近所でも、一人で買い物に出かけるお年寄りの方を、よく見かけている印象があります。孤独死の問題も、とても身近なものとして感じています。

◆ワンポイントアドバイス▶

前後の話題のつながりは薄いが、<u>人口構造に関する知識に、街なかで見かけた自分の印象を交えて</u>、無難な回答になっている。なお、65歳以上の人口が全人口の7％を超えると「高齢化社会」、14％を超えると「高齢社会」、21％を超えると「超高齢社会」と呼ぶ。

私たちがいくらがんばって働いても、生まれてくる子どもはどんどん少なくなっていきます。高齢化ばかりがすすんで、老後は本当に大丈夫なのかなと、ちょっと不安になります。

◆ワンポイントアドバイス▶

あえて、冗談っぽくまとめようとしているのかもしれないが、漠然とした不安を口にしているだけになっていて、<u>仕事への意欲も疑われてしまう</u>。

問　政治に関心はありますか？

●ここに注意！●

　選挙権をもつ年齢が18歳以上となり、高校生の一部が有権者に含まれている現在。政治に関する深い知識まで求められているわけではないが、成年年齢も18歳に見直されたことから、しっかりとした心構えをもつことが大切だ。

 有権者の一人になったこともあり、学校で学ぶことだけでなく、新聞やテレビを通じて実際の政治について考える機会が増えてきました。政治の動きによって社会の流れがどのように変わっていくのかを知り、責任をもって投票をしていきたいと考えています。

■ワンポイントアドバイス■

　有権者の一人として政治について考え、「責任をもって」投票していきたいという意志が、しっかりと伝わってくる。

 はい、あります。自分の住んでいる国の、一番重要な部分のことですから、関心をもつべきです。新聞の政治面は、まだまだ難しくてなじめないのですが、テレビのニュース番組で、しっかりフォローするようにしています。

■ワンポイントアドバイス■

　選挙権があって成年年齢を迎えていても、新聞の政治面を「なじめない」と感じることは、面接官も納得してくれるはず。もし気になっている話題があれば、取り上げておこう。

 はい。私は、○○党が考え方をしっかりもっている感じがして、支持したいと思っています。△△党はさまざまな問題を提起してはいますが、実行に移せないので信用できません。

■ワンポイントアドバイス■

　ここでは、支持する政党を聞いているわけではない。仮に政治に対する考えを述べるとしても、軽々しい感じにならないよう気をつけよう。

157

問 このところの景気の状況について、どう思いますか?

●ここに注意!●

株価や円相場など、今の立場で経済について詳しく把握しておくことは難しい。ニュースを見て思うこと、まわりの人の話から考えたこと、日常的に感じていることなどを率直に話そう。素直な発言のほうが、面接官の好感も得られるはずだ。

感染症や東ヨーロッパの戦争などの影響で、日本だけでなく全世界が厳しい経済状況を迎えていると思います。経済の仕組みそのものについては、まだまだわからないことが多いのですが、これから働く社会人の一人として、現状を把握していくために毎朝、新聞の経済面を読むように心がけています。

-----◀ ワンポイントアドバイス ▶-----

昨今の経済状況に、自身の率直な考えを合わせ、的確な受け答えができている。自発的に新聞を読もうとする姿勢も伝わってくる。

就職を希望していることもあり、景気の状況はとても気になるところです。後ろ向きに考えすぎるのはよくないと思いますが、漠然とした不安ももちろんあります。我が家でも、節約を心がけた生活は続けていこうと話をしています。

-----◀ ワンポイントアドバイス ▶-----

身近な話題にまで話が及んでいるので、面接官も納得してくれるはず。「漠然とした不安」がどんなものなのかを具体的に言えると、さらによい。

景気がよくなったり悪くなったりするのは、歴史的にみても、必然のことだと思います。必ず揺り戻しはやってくるので、よいときも悪いときも、冷静な対処が求められるのではと感じています。

-----◀ ワンポイントアドバイス ▶-----

物事を知り尽くしたかのような発言は、面接の場に求められていない。等身大の視点から、自分の考えを述べられるようにしよう。

問 携帯電話・スマートフォンの利用の仕方について、どのように思いますか？

●ここに注意！●

実生活に欠かせないアイテムである携帯電話・スマートフォン。機種やサービスも多角化し、便利な機能が次々と備わるようになってきている。一方、使い方一つでトラブルに発展しかねないことも。利用の仕方について、自分の日常をふまえて話そう。

私は中学校に入学した記念に買ってもらいました。友達や家族と連絡をとるのに欠かせませんし、すごく役に立っています。人との待ち合わせや、緊急の事態が起きたときには、とくに役立つものだと思います。

――――――◆ ワンポイントアドバイス ◆――――――

模範的な回答になっていて、大きな問題はない。実際にはゲームで遊んでいたり、家族に料金を払ってもらっていたり、ということがあったとしても、自分からそうした事情は言わなくてよい。

はい、新しい機能が次々と増えていっているので、もっと便利になるのではないかと楽しみです。ただ、電車のなかでも電話をしている迷惑な人がいたり、操作に夢中でまわりの邪魔になっている人もいたりするので、使い方のマナーは守るようにしたいです。

――――――◆ ワンポイントアドバイス ◆――――――

電車やバスなどでのマナーは、しっかり守るようにしておきたいもの。ただし、あまり批判的な雰囲気が出すぎないよう気をつけよう。

どこにいてもすぐに友達と連絡を取り合えるので、ものすごく便利です。暇なときの時間つぶしにもちょうどいいので、つい、だらだらといじり続けてしまうことがあります。

――――――◆ ワンポイントアドバイス ◆――――――

「だらだらといじり続けてしまう」という答え方も、時間を持て余しているような印象もマイナス。便利さを話題の中心にしよう。

問 インターネットやSNSについて、あなたの考えを聞かせてください。

●ここに注意！●

　携帯電話・スマートフォンの普及とともに、現代人の生活の一部となったインターネットやSNS。誰しも、何らかの形でふれたことがあるはず。具体的にどのように利用したことがあるのかや、現実社会とのかかわりなどについて話そう。

　はい、ちょっとした調べ物や気になる話題があるときに、インターネットの検索機能やSNSはとても便利だと思います。もちろん、便利なところにばかり目を向けるのではなく、書かれていることすべてが正しいわけではないので、自分なりの節度をもって活用していきたいと考えています。

▶ワンポイントアドバイス◀

バランスのとれた答え方になっている。インターネットやSNSの情報が正しいかどうかを見極める視点は、社会人になってからも大切なことだ。

　大学生の兄がSNSを利用して、友達だけでなく、さまざまな国の人たちとやりとりをしています。言葉はあまり通じなくても、趣味の話題で盛り上がれるそうです。私ももう少ししたら、同じように世界中の人たちと連絡を取り合えるようになりたいです。

▶ワンポイントアドバイス◀

SNSの明るい側面を、的確に取り上げられている。世界中の人たちとどんな形で接していきたいのかも、話せるようにしよう。

　SNSを通じて知り合った人が犯罪にはしる、というニュースをたまに見かけます。SNS上で過激な発言を繰り返す人もいて、現代の闇のようなものが蓄積している印象を受けます。

▶ワンポイントアドバイス◀

SNS上でのやりとりがきっかけで、事件が起こっているのは事実。しかし、面接の場では、前向きな話題に移していけるようにしたい。

160

問 今の高校生について、あなたはどう思いますか？

●ここに注意！●

自分たちの世代のことを、客観的にとらえる視点をもっている
かが問われている。自分や友達のこと、世間でいわれる「高校生
像」などをあらためて考え、素直に思うことを話そう。家族や先
生に、昔と今の高校生の違いを聞いてみるのも参考になるだろう。

以前、担任の先生が、「今の高校生は、必要以上に他人に近づか
ないようにしているところがある」と話していました。そういわ
れてみると、仲のよい友達に対して、迷惑をかけないようにと遠
慮してしまうことがあります。昔はもっと、人と人との関係は濃
かったのではないかという気がしています。

───── **ワンポイントアドバイス** ─────

先生の言葉をきちんと受け止め、そこから冷静に自分を見つめ直してい
るところがよい。誠実な姿勢が感じられ、分析も的を射ている。

女子生徒として気になっているのは、「男子高生」と比べて「女
子高生」という言葉のほうが使われやすく、かたよったイメージ
で見られることが多いことです。でもそれは昔のイメージで、私
のまわりもそうではない生徒が多いです。

───── **ワンポイントアドバイス** ─────

世間のイメージに対する違和感を率直に述べている。逆に、どういった
高校生が多いのかという視点からも、考えてみよう。

今の高校生には、言葉づかい一つとっても、薄っぺらいところが
あるように思います。私は自分より年上の人と話が合うことが多
く、もっと昔に生まれたかったと思うことがあります。

───── **ワンポイントアドバイス** ─────

自分の印象を素直に答えてはいるが、後ろ向きな発言は印象がよくない。
今の時代を精一杯に生きる姿勢を示そう。

問 高校生の立場から「大人」に対して、何か思うことはありますか？

●ここに注意！●

成年年齢が18歳になった今も、一般的な「大人」と高校生の間には、まだ垣根がある。ここで大切なのは「大人」である面接官を前に、どのような答え方をするか。不満をぶつける内容にはせず、誠実さや一生懸命さが伝わるような話し方を心がけよう。

はい、ふだんはとくに意識してはいませんが、私より長く生きていて、人生経験が多いことを考えると、尊敬すべきだと思います。ただ、年上だから偉い、というわけではないと思うので、私自身も、年齢に関係なく尊敬されるような「大人」になりたいです。

------------**◀ ワンポイントアドバイス ▶**------------

「大人」への敬意を払いつつ自分なりの考えを述べた、無難な答え方にまとめている。<u>最後を前向きな願望で締めくくっている</u>のは、印象がよい。

はい、若者に対して「こうしなさい」と押しつけるのはよくないと思います。学校の先生のなかにも、そういう方がいますが……。頭ごなしに言わないで、自分の態度で示したりとか、わかりやすく説明していただければ、納得できると思います。

------------**◀ ワンポイントアドバイス ▶**------------

「大人」に対する若者の視点としては、納得のできる回答。ただし、とらえ方によっては、「自己主張の強い人」とも判断されてしまう。こういう意見を言うときは、<u>力まないで、さわやかに伝えられるようにしよう</u>。

「大人」も高校生も、同じ人間であることに変わりはありません。私って、差別とか許せないタイプの人じゃないですか。だから、高校生も一人の人間として、対等に扱ってほしいです。

------------**◀ ワンポイントアドバイス ▶**------------

区別をすることは、差別をすることとは違う。「私って……じゃないですか」という言い方も、<u>不快な印象を与えるので避けよう</u>。

問 10年後の自分がどのようになっているか、想像してみてください。

●ここに注意！●

基本的には、仕事に関することを話すのが無難だが、それだけではないビジョンの広さを見る質問でもある。自身の夢、家族のこと、社会の動きなど、さまざまな要素をふまえて、今考えられる自分なりの将来像を答えておこう。

 はい、10年後は、私も28歳になっています。働く立場としても、若手から中堅的な存在に移っていく時期だと思います。自分のことだけでなく、会社全体に視野を広げ、あとから入ってくる後輩たちをしっかりとまとめられるような存在でありたいと思います。

━━ ワンポイントアドバイス ━━

10年後に自分がどのような立場になっているのかを、的確にとらえられている。社会人としての責務と自覚を感じさせる回答だ。

 はい、10年後までには、自分の家庭をもっているのではないかと思います。子どもも、少なくとも一人はほしいです。家族と楽しくすごしていけるような、そんな親でありたいです。

━━ ワンポイントアドバイス ━━

少子高齢化が進行するなかで、家庭をもちたいという意識をもっていることは、それだけでも頼もしく感じられる。仕事のことにも、多少はふれておいたほうがいいだろう。

 10年も先の自分がどうなっているのかは、まだ想像ができません。社会情勢も大きく変わっていると思いますので、それに合わせて自分の生き方を見定めていければと考えています。

━━ ワンポイントアドバイス ━━

10年後の自分を簡単に想像できないのは、誰も同じ。ここで求められているのは、完璧な将来設計図ではなく、社会に出ていく人間としての目標のようなものだ。もう一度、自分の胸に問いかけてみよう。

問 何か質問はありませんか？

ご採用いただき、実際に入社してからは、どの程度の研修を受けることができるのでしょうか。事前に学んでおくべきことなどがあれば、教えていただけますか。

-------◆ ワンポイントアドバイス ◆-------

就職試験を受ける段階から、働くことを前提にした質問を準備できていることは、大きなアピールになる。

これから先、とくに強化していこうと考えている部門や事業は、何かありますか。気になりますので、教えてください。

-------◆ ワンポイントアドバイス ◆-------

今後の展望は、企業のホームページなどをチェックすることでも見えてくるもの。下調べをせずに質問することだけは、避けるようにしたい。しかし、入社を希望する側の質問としては無難だ。

はい、仕事をする身として気になることなのですが、給料は、どれくらいのペースで上がっていくものなのでしょうか。学歴によって差が出ることは、やはりあるのでしょうか。

-------◆ ワンポイントアドバイス ◆-------

どの程度の給料をもらうことができるのかは、働く側として気になる話題ではある。ただし、お金の話題にこだわる姿勢は、あまりよい印象をもたれない。「学歴によって差が出る」という発言も、控えるようにしよう。

面接対策は、これで万全！

書き込み式 チェックシート ✔

　本書の総まとめとして、このチェックシート
に書き込みをしながら、自分の考えや高校3年
間の記録を整理してみましょう。試験の前日、
または当日に見直すことによって、"自分像"が
より確かなものになります。

1 自分自身を再確認しよう

●長所・短所は？

●趣味・特技・資格は？

●得意な科目・不得意な科目は？

●クラブ活動は？

●アルバイト経験は？

●健康・体力については？

●今、もっとも関心のあることは？

●社会人になるうえでの心構えとして、強く思っていることは？

----

2 高校3年間の記録を整理してみよう

①学習の記録

教科	科目	1年3学期の評価	2年3学期の評価	3年1学期の評価
国語				
外国語				
数学				
社会 （日本史など）				
理科 （生物など）				
芸術				
その他				

② 3年間の学校生活

	内容・出来事
クラブ活動	
委員会活動	
文化祭	
体育祭	
修学旅行	
そのほかの学校行事・課外活動	

3　身だしなみをチェックしてみよう

［髪・顔］

チェック！

- □髪が長い人は、後ろでまとめられているか
- □前髪が目にかかっていないか
- □肩や背中にフケがついていないか
- □パーマや髪の染め、脱色はしていないか
- □過度な化粧やヘアメイクはしていないか
- □ピアスはしていないか

［服装］

チェック！

- □校章はきちんとついているか
- □ボタンはすべてしっかりと留めてあるか
- □リボンやネクタイは曲がっていないか
- □シャツ・ブラウスのえりなどは汚れていないか
- □ズボンの折り目はついているか
- □ズボンの膝が出ていないか
- □スカートの丈は標準か
- □シャツ・ブラウス、スカートのプリーツにアイロンはかかっているか
- □アクセサリーやマニキュアはしていないか
- □香水はつけていないか
- □爪は伸びていないか
- □マスクは白など控えめな色で、無地のものか

［足もと］

チェック！

- □ストッキングは伝線していないか
- □靴下は汚れていないか
- □靴はきれいに磨いてあるか

4 　前日には持ち物チェックをしよう

チェック! ▶ □筆記用具（鉛筆、シャープペンシル、消しゴム、
　　　　　　ボールペン、定規など）とメモ帳

□受験票

□提出書類（履歴書の控えは必ずとる）

□生徒手帳

□財布

□印鑑

□受験先からの資料（会社案内や募集要項など）

□ハンカチ

□ティッシュ

□くし・ブラシ、手鏡

□腕時計

□折りたたみ式雨傘

□携帯電話、スマートフォン

□外したマスクをしまう袋、予備のマスク

5 よく聞かれる質問の答えを考えておこう

●簡単に自己紹介（自己PR）をしてください。

●まわりの人は、あなたのことをどう見ていると思いますか？

●あなたは考え方の違う人と、うまくやっていけますか？

●高校生活で得たものは何ですか？

●高校生活の一番の思い出は何ですか？

●学校での勉強を、これからどう生かせると思いますか？

●なぜ当社を志望したのですか？

●進学を選ばず、就職するのはどんな理由によりますか？

5　よく聞かれる質問の答えを考えておこう

●当社について知っていることを話してください。

●学校と職場の違いは、どんなところだと思いますか？

●仕事と家庭、どちらが大切だと思いますか？

●友達との出来事で、思い出に残っていることを教えてください。